A menina que queria ter rugas

A menina que queria ter rugas

Copyright © 2022 by Fernanda Moro

1ª edição: Julho 2022

Direitos reservados desta edição: CDG Edições e Publicações

O conteúdo desta obra é de total responsabilidade do autor e não reflete necessariamente a opinião da editora.

Autora:
Fernanda Moro

Preparação de texto:
Fernanda Guerriero

Revisão:
3GB Consulting

Projeto gráfico e diagramação:
Manu Dourado

Capa:
Jéssica Wendy

DADOS INTERNACIONAIS DE CATALOGAÇÃO NA PUBLICAÇÃO (CIP)

Moro, Fernanda
    A menina que queria ter rugas / Fernanda Moro. — Porto Alegre : Citadel, 2022.
    192 p.

ISBN 978-65-5047-171-2

1. Ficção brasileira I. Título

22-3253   CDD B869.3

Angélica Ilacqua - Bibliotecária - CRB-8/7057

Produção editorial e distribuição:

contato@citadel.com.br
www.citadel.com.br

FERNANDA MORO

A menina que queria ter rugas

2022

Para alguns, rugas são sinais de envelhecimento. Para ela, representavam vida. Três gerações de mulheres vistas através do olhar de uma menina de dez anos.

Desculpem, meninos da minha vida, mas este livro é dedicado às meninas, principalmente minhas avós Anita e Lourdes e minha mãe Marina, que me ensinaram o poder das rugas.

Agradecimentos

Obrigado a Marcio Fraccaroli, Verôncia Stumpf e Marcial Conte Jr. pelo incentivo de seguir com esta história até virar este livro.

Obrigado a Rick Hiraoka pelas preciosas dicas e sugestões.

Obrigado a minha família pela base de tudo na vida e a Paulo Nascimento por acreditar em mim quando eu mesma não acreditava.

– Eu adoro essas linhas no seu rosto, vó. Queria muito ter iguais. É como se... elas deixassem o seu sorriso mais sorriso, entende? Não vai rir, mas eu vejo... vejo raios de sol no seu olhar. Não sei explicar, mas eu gosto!

Os olhos de minha avó se encheram de lágrimas! Ela sorriu pra mim e disse:

– Obrigada, Sofia! Você gosta das minhas rugas porque gosta de mim, gosta de como eu sou – e então completou, olhando no fundo dos meus olhos: – Um dia, eu li uma frase que nunca esqueci. Ela é a seguinte: "A beleza existe em tudo, mas nem todo mundo consegue ver".

Gosto dessa frase, mas acho que decidi escrever após ouvir de minha avó: "Você gosta das minhas rugas porque gosta de mim, gosta de como eu sou".

Raios de sol

Minha mãe não estava em casa. Então, fui até o banheiro dela e peguei a sua caixa de maquiagens. Adoro fazer isso, mas, se ela me encontra mexendo nas coisas dela, é certo que levo um castigo – e dos grandes!

Na verdade, uma vez ela me pegou no flagra usando o batom que diz ser seu preferido. Lembro como minha mãe conseguiu falar de um jeito que passava tranquilidade e ameaça ao mesmo tempo:

– Sofia, quantas vezes já pedi pra você não mexer nas minhas maquiagens? Além de elas custarem uma fortuna, são feitas para quem precisa e tá ficando velha, que nem eu, e não pra uma garota que só tem dez anos. Não tenha pressa, você vai usar muita maquiagem na sua vida, mas reza pra demorar, porque depois que começa a cair tudo... Deus! Não queira saber o que a gente sente. – E ainda acrescentou: – Se fizer isso de novo, já sabe: CASTIGO!!!

Credo! Por que ela falou tudo isso por causa de um batom?? Velha?!!! Minha mãe se sentindo velha??? O mundo enlouqueceu?? A verdade é que a tal "tranquilidade" sobre a qual eu falei se foi pelos ares naquela hora. Veio em altíssimo e bom som a palavra "CASTIGO"! E castigo significa ficar sem iPad, computador, celular; não comer chocolate, não dormir na casa da melhor amiga, não usar internet... Eu sabia de tudo isso, mas quem disse que resisti? Estava eu, de novo, diante da cena do crime.

Abri cuidadosamente a caixa de maquiagem e peguei o lápis de olho, de cor marrom. Quando vi, já estava fazendo linhas no meu rosto. De repente, escutei a voz de quem? Adivinharam.

– O que é isso, Sofia???

Ela esqueceu alguma coisa em casa e voltou. *E agora?*, pensei. Só ouvia a palavra "CASTIGO" na minha cabeça.

– Que riscos horrorosos são esses no seu rosto?

Eu respondi:

– São rugas, mãe... iguais às da vó!

Minha mãe congelou. Parou no tempo. Ficou completamente muda. Eu, apavorada, pensava: *O que eu falei para ela ficar assim em choque?* A coisa foi séria mesmo! Então, já fui pedindo desculpas, dizendo que nunca mais faria isso. Usei os argumentos de sempre, de filha arrependida (que nunca funcionam), mas ela só olhou para mim e perguntou:

– Por que você desenhou... essas rugas?

– Porque eu acho bonito, mãe! – falei, pois a sinceridade foi o que me veio à cabeça naquele momento.

Ela ficou me olhando com aquele olhar parado, como se não estivesse ali. Eu estava imóvel, sem saber o que ia acontecer. Minha mãe simplesmente foi até a cômoda, pegou o celular – o motivo de ela ter voltado, aliás –, virou as costas e saiu! Fiquei sem entender nada!

Não sabia se tinha levado o castigo.

O mundo dos adultos sobre o qual vou ter que falar aqui

Gosto de contar as coisas à medida que os fatos acontecem, mas vamos combinar que a vida pode ser cronológica, mas não é nada lógica, ainda mais em se tratando de adultos. Após aquela cena insólita com minha mãe e o desenho das rugas, vou ter que dar uma pílula pra vocês sobre o que vamos tratar aqui. Vejam só: papo de uma reunião da minha mãe com as amigas...

Na opinião delas, hoje as mulheres assumem todas as responsabilidades. Têm que ser tudo: excelentes no trabalho, lindas e elegantes sempre, esposas perfeitas e supermães, é claro.

Uma dessas amigas conseguiu o poder de fala (o que é muito difícil, porque todas querem falar ao mesmo tempo) e disse que até existem alguns homens que fazem a parte deles, mas são raros. O pesado fica com as mulheres. Outra amiga logo acrescentou:

– Temos que ser eternamente jovens, e acabamos exigindo isso de nós mesmas. Uma mulher ter rugas significa velhice. Já para o homem *é* sinal de charme. Por que a gente tem que passar por isso?

As rugas eram novamente o assunto. Não entendo por que as mulheres se preocupam tanto com isso. Já disse mil vezes, mas repito: acho lindas as ruguinhas da minha avó. Para mim, querem dizer sabedoria. Não acreditei quando minha irmã falou no meu ouvido, para ninguém escutar:

– Ainda bem que tenho muito tempo ainda sem rugas. *A mãe me contou que elas só começam a aparecer depois dos trinta.*

Outra coisa em que fiquei pensando era: por que para os homens é legal e normal ter, mas para mulheres, não? Tudo isso *é muito complicado para minha cabeça.* Será que só pra minha?

Entenderam o clima da história em que estou metida?

Bom, voltemos à minha família em certa ordem cronológica.

Seu André × Dona Beatriz

Família é uma coisa engraçada, vocês não acham? Quanto mais tento entender minha mãe, mais vejo que não compreendo meu pai, e vice-versa.

Meu pai é uma pessoa... Como vou dizer? Apelidei ele de "trancado por dentro". Eu sei que sou muito tímida (tenho pânico de falar em público); adoro escrever e odeio falar. Acho que puxei esse lado caladão do meu pai. A minha mãe fala, grita. Na real, grita mais do que fala. Se ela não gosta de alguma coisa, logo... logo reclama. O meu pai, não. A gente nunca sabe o que ele realmente tá sentindo. Parece que tá tudo bem, que sempre tá de boa. Sempre tem solução para tudo, tem a maior paciência com a gente, mas não sei. Eu sinto que ele tem um grande segredo escondido.

Eu amooo minha avó Anita e meu avô Antônio, pais da minha mãe. Se fico uma semana sem vê-los, já me sinto triste. Adoraria saber mais sobre os pais do meu pai. Afinal, na minha experiência de dez anos de vida, sei que todo mundo tem um pai e uma mãe, pelo menos geneticamente (o que não quer dizer que tenha convivido com eles).

Um dia, perguntei para o meu pai sobre os pais dele. Seu André só me respondeu que a minha avó morreu antes de eu nascer. Eu, curiosa, já queria ver fotos, mas ele disse que não tinha.

Quis saber sobre meu avô, e ele simplesmente falou, curto e grosso:

– Um dia eu vou te contar tudo, Sofia, mas agora não estou preparado para falar sobre isso. E nem você está.

Depois dessa resposta, fazer o quê? Fiquei na minha e muito curiosa. Tentei descobrir com a minha avó (materna, lógico), mas ela disse que essa história o meu pai é quem deveria me contar.

Eu era feliz e não sabia
– Parte 1

Eu tentava descobrir sobre meu pai, mas a atenção se voltou para minha mãe. Aconteceu uma coisa aqui em casa que me deixou em choque. Tão em choque que toda a minha vida pareceu simples. Eu me lembrei daquela frase: "Eu era feliz e não sabia".

Não sabia o que fazer – e, na verdade, ainda não sei. Talvez escrevendo, falando comigo mesma, consiga; afinal, devo ser a única pessoa do mundo que faz um *blog* para uma pessoa: eu.

Essa minha mania de escutar as conversas dos adultos escondida ainda ia me encrencar...

Talvez dez ou doze dias atrás, ou seriam quatorze? Isso não importa, é lógico. Bom, quando cheguei do colégio, minha mãe estava com as amigas aqui em casa. Ela geralmente organiza um encontro por mês só com mulheres, quando o meu pai vai para o futebol.

Bem na hora em que eu entrei, ela estava falando sobre quando peguei a maquiagem dela. Eu, na verdade, já tinha me esquecido do tal acontecido. Não sou louca de perguntar: "Oi, mãe! Qual castigo vou levar por brincar com suas maquiagens?". Jurava que ela não se lembrava de tudo isso. Só sei que, naquele dia, a mais *perua* das amigas dela disse:

— A Sofia acha bonito ter rugas porque é uma criança e obviamente não tem. Eu, na idade dela, nem pensava nisso. Para mim, velho era velho. É horrível ver a minha pele se enchendo de marcas. Eu sou sincera, vocês sabem! Odeio sentir esse processo. Ninguém gosta!

A outra amiga falou:

— Imagina! Qual é o problema em ter rugas? Faz parte da nossa história, da nossa vida.

De repente, minha mãe começou a chorar. Fiquei muito assustada, afinal, minha mãe quase não chora. Ela é sempre tão forte.

Achei melhor ficar quieta. Como entraria na sala com ela chorando? Deveria, eu sei, é minha mãe, mas não consegui.

Tem outra coisa: estavam falando do momento em que eu usei a maquiagem dela. Será que ela estava triste por minha causa? Será que essa maquiagem é muito cara?

— Meu casamento não está bem — minha mãe começou a falar. — O André não é o mesmo. Está muito distante, é indiferente comigo. Não sei o que está acontecendo.

A outra amiga perguntou:

— Você acha que ele está gostando de outra mulher?

— Não sei! — respondeu minha mãe sobre o meu pai.

Eu achava que ela sabia tudo sobre ele.

A tal amiga continuou fazendo o seu interrogatório de análise:

— E você? Como está com ele?

— Eu... estou tentando. Também não sei se realmente estou tentando. Na verdade, não sei o que estou fazendo ou o que fazer.

Estou me sentindo velha, feia. Tantas coisas para fazer... tantos sonhos, e nada... Na verdade, nada aconteceu na minha vida.

Todas as amigas da minha mãe a observavam com um olhar de pena. Tipo: "Sei bem do que você está falando". Minha mãe continuou. Precisava desabafar:

— Agora, o André não me olha mais. É como se eu fosse aquela estante, que sempre esteve ali desde que a gente se mudou pra cá. Todos já estão acostumados com a estante e a gente só percebe se tropeçar nela. Não atrapalhar. Isso é o mais importante. Sirvo para resolver problemas da casa, escola... Minhas filhas só sabem cobrar e não conversam mais comigo. Poxa, parei de trabalhar quando elas nasceram. Não consigo retomar minha profissão. Estou há quinze anos fora do mercado de trabalho.

Eu estava ali, escondida, ouvindo tudo aquilo que nem imaginava que estava acontecendo. *Será que meus pais vão se separar?*, pensei naquela hora.

As amigas da minha mãe ainda ficaram ali por um tempo, dando conselhos e fazendo perguntas. Eu já não escutava mais nada. Fiquei perdida com os meus próprios pensamentos. Até que a Lua, minha gata, me encontrou, começou a miar para mim e se enrolar nas minhas pernas.

Logo minha mãe me viu e ficou toda constrangida. Perguntou se eu já estava ali fazia muito tempo. Eu disse que não, é claro. Sei que mentir não é legal, mas às vezes a verdade dói, e a minha mãe já estava sofrendo muito naquele momento.

Lute como uma garota

Eu era uma garota razoavelmente perdida naquele momento. "Razoavelmente" pra não dizer "bem perdida". Essa revelação da minha mãe com as amigas fez eu sentir que meus problemas eram nada diante da vida adulta. Que inferno deve ser a vida adulta! E era eu que tinha um problemão pra resolver nos meus dez anos... Na verdade, eu precisava me preocupar com meus dez anos de problemas, ou com os problemas dos meus dez anos. Mais tarde volto a falar sobre esse B.O. (Aprendi com minha mãe que existem os B.O.s na vida. Algo como Boletim de Ocorrência em uma delegacia, mas adaptado para a vida prática.)

Enquanto não sigo com o drama da minha mãe – preciso parar de falar sobre isso um pouco –, volto ao meu drama particular: a minha apresentação em público.

Gélida, mãos frias, respiração descompassada. Tudo que li na internet sobre uma pessoa em pânico se materializava ali, em mim. Não estou exagerando, mas falar em público é algo que me tortura, me transforma em uma garota frágil, sem energia. E é assim, a escola é assim. Ninguém pergunta se você consegue, só dizem pra você fazer, como se todos nós tivéssemos o mesmo chip interno. "Seja forte 1, seja forte 2" – uma sequência insana nos obrigando a falar... em público.

Todo esse meu desabafo anterior não é um delírio de alguém "à beira de um ataque de nervos" (essa expressão aprendi com a minha avó, é de um filme que ela adora), mas a realidade de quem – eu, no caso – esqueceu que tem trabalho sobre Recursos Naturais para fazer! Um tema que amooo discutir, sobre o qual é extremamente importante ser falado, mas tem que ser apresentação em grupo? Por que não poderia ser diferente?

Odeio! Odeio! Odeio! Odeio infinitamente falar em público! Por que fazer isso com a gente? Minha mãe diz que é assim, que um dia esse medo vai passar, mas nunca passa, e cada ano piora.

A chata da minha irmã... Abre parênteses! (Sim, eu tenho uma irmã, e não gosto de falar muito dela.)

Retomando: a chata da minha irmã, que acha que sabe tudo, só porque é cinco anos mais velha do que eu, me disse que esse nervosismo sou eu que invento. Ah, tá! Mas, vindo dela, eu não esperava nada muito diferente.

Bom, estou tentando superar esse medo. Sou uma pessoa muito tímida e falo pouco e penso muito, como todo tímido. Penso tanto que parece que vou explodir. Então, minha avó me deu essa dica de escrever. Sabem o que eu fiz? Criei um *blog*, mas não um *blog* daqueles gigantes, patrocinados (quem me dera...). É um *blog* só pra mim.

Quem disse que pra ter um *blog* precisa de leitores? Às vezes, escrevo no *lap*; outras, no celular mesmo. Não escrevo todo dia, por isso obviamente não é um diário! Não fico naquela "obrigação" de ter que dizer alguma coisa, afinal, é pra mim mesma, então pego leve. Quando estou muito a fim de escrever ou desabafar, escrevo. Sempre me sinto melhor!

Minha avó me disse que a escrita é a melhor forma para desabafar o que sinto (na opinião dela e na minha); assim, nunca vou esquecer o que sou. Ou o que fui! Isso é o mais importante, porque, como ela afirmou, a gente está sempre mudando, e isso é maravilhoso, mas a nossa essência está sempre ali. Então, é bom escrever para organizar as ideias, para desabafar e lembrar. Por falar nisso, vou de novo colocar aqui pra vocês uma frase (fora da ordem cronológica) que me marcou muito. Dita pela minha avó, claro. O tema? Rugas. Essa conversa eterna que me causa tanta dificuldade de compreensão. Vamos lá:

– *A gente não nasce achando as rugas feias, bem pelo contrário! A gente é ensinada a achar as rugas feias, que envelhecer é ruim, que a mulher só tem valor quando é jovem. Tudo isso é imposto para as mulheres* à medida que crescemos. *E envelhecer acaba sendo quase uma doença. Eu estou vivendo a melhor fase da minha vida. Na verdade, sempre aproveitei todas as etapas da minha vida, o que não quer dizer que seja fácil.*

Era minha avó Anita dando aula de sabedoria. A sabedoria que vem junto no pacote das rugas. Eu iria reclamar?

Jamais!!!

Minha avó disse que vou gostar de ler o que escrevo agora quando eu estiver com... sei lá... vinte anos.

Será que vou gostar do que vou ler? Será que com vinte anos vou perder o meu medo de falar em público?

Enfrentando o medo

Minha mão suava frio, minha boca estava seca, eu escutava o meu coração! Como eu iria falar sobre Recursos Naturais se os meus próprios recursos estavam acabando? Minha boca sem água, meu coração um terremoto e minhas mãos uma geleira derretendo. Eu não conseguia entender! O que estava acontecendo comigo? Queria cavar um buraco e me esconder! Eu juro que decorei a minha parte. Fiquei na frente do espelho repetindo infinitas vezes.

Fui para o colégio relembrando tudo. Quando chegou o momento, travei! Só conseguia ver as caras de tédio dos meus colegas me olhando. Até que o idiota do Bruno, que se acha o mais inteligente da turma, gritou bem alto:

– Fala, Sofia!!!

Que óódiooo!!! Eu queria matar aquele babaca! Por que eu não consigo reagir na hora? Deveria ter tido coragem e falado alguma coisa. Na minha mente, o *nerd* do Bruno parecia a medusa com suas cobrinhas na cabeça, que me fizeram virar pedra. Até que a "Santa Clara" me tirou desse feitiço. Não é por acaso que ela é a minha melhor amiga! Me deu um beliscão e me entregou o iPad com o que eu tinha que falar. Abaixei a cabeça, escondi o meu rosto na tela e li!

Ter avós é tudo de bom

– Vóóóóóó!!!!!

Na frente da casa dos meus avós, sempre saio correndo do carro e gritando para encontrar minha avó primeiro; depois, o vô! (Nenhum preconceito nisso, certo? É o hábito.)

Durante os fins de semana, normalmente fico com eles. Quando chego lá, Dona Anita me olha, abre os braços e me dá aquele abraço de urso e um "cheiro", como ela diz, no cangote!

O nome dela não é Anita, é Ilza, mas todo mundo a chama de Anita desde pequena, porque o irmão mais velho dela achava ela muito bonitinha e dizia "nitinha". E aí virou Anita.

Só a minha avó para ter um segundo nome. É perfeito para ela, que continua uma velhinha bonitinha! Ela é magra, mas não muito magra. Seu rosto é cheio de ruguinhas (sei que já falei, mas adoro repetir isso).

Não só o rosto, mas o corpo todo. É de altura média e tem o cabelo todo branco, com um corte estilo Chanel muito moderno.

As roupas que a minha avó usa são uma loucura! Eu amo, e, acreditem, é ela quem faz. São muito estilosas! Cada saia colorida! Ela sabe combinar tudo! Também sabe fazer tricô e crochê. Juro que um dia vou aprender! Ela fez agora há pouco um colete e uma bolsa para mim.

Sempre que coloco alguma coisa que ela faz, é elogio certo, e logo vem a pergunta:

— Ela faz para vender?

— Não — eu digo. — Ela só faz para mim.

Aí a inveja pega! A resposta é geralmente:

— Bom pra você...

Pois é, sou sortuda mesmo. Mas ela não faz só pra mim, faz para minha irmã também, é claro! Aí, fica aquela disputa. É regra: o que a vó faz para uma tem que fazer para a outra. Ainda bem que ela é rápida.

Não sei como pode, mas minha avó tem tempo pra tudo. Ela faz trabalho voluntário, adora cozinhar e viajar. Enfim, ela tá sempre com a agenda cheia.

Ah, e tem as viagens de moto com o vô. De moto! Sim! Meu avô tem 77 anos, e a minha avó tem 75! Minha mãe acha uma loucura isso! Sempre diz, com aquela voz ameaçadora:

— Não é coisa para se fazer nessa idade! Que perigo!

Parece que a minha mãe é mãe da minha avó. Por que será que quando os pais são modernos e descomplicados os filhos sempre são uns chatos com um monte de regras? Pelo menos é o que eu observo. Não entendo como minha mãe pode ser filha da minha avó. Elas são muito diferentes.

Meus pais marcaram uma reunião com "a minha pessoa"... E o motivo só pode ser a minha nota de Matemática.

Reunião significa: eu sentada junto à mesa e os dois olhando no fundo dos meus olhos. Consequência? Bronca!!!

– Sofia, minha filha, eu trabalho feito uma louca nesta casa. Parei de trabalhar fora quando sua irmã nasceu, para me dedicar exclusivamente a vocês, mas chegou a hora de você aprender a ter responsabilidades! Faço tudo por vocês. Não falta nada! Vocês têm tudo! Você só tem que estudar! Qual é o problema???

Depois veio meu pai:

– Eu realmente não entendo, Sofia. Eu tirava as melhores notas em Matemática! Eu posso te ajudar, é só pedir. Sei que ando sem tempo, mas me avisa antes e a gente programa. Você pode pedir ajuda para sua irmã também! O que você faz trancada naquele quarto o dia todo? Estudando é que não é! Só podem ser os filmes, as músicas, as amigas na internet! Você fica naquele computador o dia todo!

– Telefone – eu disse.

Os dois se olharam sem entender o que falei.

– Fico mais no telefone, não no computador.

Eles se olharam de novo.

– Você está nos provocando, é isso? – quis saber minha mãe.

– Não, mãe. Tô sendo sincera, só isso.

Estava mesmo, senão não teria arriscado dizer aquilo. Os dois se olharam novamente, respiraram, pensaram o que dizer, e minha mãe soltou:

– Minha filha, você tá deprimida? Você anda tão quieta! Mal conversa com a gente! Você quer ir num psicólogo?

Gostaria de desenhar minha cara aqui! Psicólogo??? Não, por favor! Me deixa fora dessa! Os adultos já têm um monte de problemas e ainda criam outros. Esquecem completamente o que é ser criança. Eles acham que a gente só tem que estudar e isso é muito fácil. É muito fácil passar em Matemática, entender todos aqueles cálculos que você nem sabe para que está estudando.

É muito fácil apresentar trabalho e falar em público! É muito fácil conviver com um monte de patricinhas que ficam a aula toda fazendo fofoquinhas. É muito fácil não ter a menor ideia do que você vai ser "quando crescer" e ter que responder, porque todo mundo pergunta. É muito fácil ficar trancada numa sala de aula com a sua cabeça longe... querendo fazer outras coisas, mas você tem que estar ali ouvindo aquele professor só falando blá-blá-blá. É muito fácil para eles, que já passaram por tudo isso! Assim fica fácil.

Psicólogo? A minha mãe não tem noção! O que eu vou fazer sentada na frente de uma pessoa que eu nem conheço? Falar tudo o que me incomoda? Prefiro fazer isso aqui no meu computador (ou no celular...). Minha mãe não disse que o dinheiro tá apertado? Então, é mais econômico eu desabafar aqui mesmo.

Ela, sim, deveria ir a um psicólogo. Tudo é problema para ela! Quem sabe, se ela fizer análise e falar lá todos os seus problemas, pare de falar aqui em casa.

Se eu tivesse falado com a mesma coragem que escrevo, sei lá o que teria acontecido. Não consigo imaginar o tamanho que seria o meu castigo.

O meu pai... esse, sim, deve ficar muito decepcionado comigo. Imagina ser engenheiro e ter uma filha que fica sempre em recuperação em Matemática? Não deve ser fácil mesmo. Só que essa história de "te ajudo" não rola. Ele realmente não sabe explicar. Ele sabe muito, mas não sabe ensinar. Então, já fica irritado comigo e já começa uma briga. Acabo me sentindo uma burra. Aí não dá!

Minha irmã, então, nem pensar! A cabeça da Ana é só roupas, redes sociais, perfumes, maquiagens, séries de TV e meninos. Só se preocupa em beijar! Quer dizer, como vai ser o seu primeiro beijo! Todas as suas amigas já beijaram, e ela não! Continua B.V.

Eu não quero nem pensar nisso. Pretendo ficar com a minha boca virgem por um bom tempo! Só de imaginar já me dá nojo. Eu fico aqui pensando: *Será que ela quer beijar porque sente vontade? Por curiosidade? Ou porque as outras amigas beijaram e ela ainda não?*

Eu não tenho intimidade com a minha irmã para perguntar, mas acho que ela está mais para a última opção. A maioria das suas amigas já beijou, e ela ainda não. Isso vira uma obrigação! Credo! É melhor eu pensar na minha Matemática, que, por mais doido que pareça, é bem menos complicada que a vida!

Em relação à Ana, não posso perguntar nada sobre ela, muito menos sobre matemática! Ela definitivamente também não puxou a genética do meu pai. Acho que ela sabe menos matemática do que eu. Às vezes, fico olhando para minha irmã e me pergunto: *Será que vou pensar o tempo todo em meninos quando chegar aos meus quinze anos? Não! Isso não vai acontecer comigo!*

Minha sala de aula é dividida em grupos: as patricinhas, os bagunceiros, os intelectuais e os excluídos, turma da qual eu faço parte, junto com a minha melhor amiga, Clara, com a Camila e o João. Eu, por ser tímida demais; a Clara, por ser feia demais. Correção: eu acho a Clara linda por dentro e por fora. Ela é inteligente, sabe dizer as coisas certas na hora certa. Está sempre ajudando os outros, mesmo quando essas pessoas não merecem.

A Clara é uma garota muito do bem! Sou muito sortuda por ser amiga dela. Ela realmente só não se liga em se arrumar. Tem que usar um aparelho nos dentes (o que não ajuda no embelezamento dela – na opinião das patis).

O meu amigo João é gordinho e ri sempre na hora errada! Eu adoro a risada dele, e só de ele gargalhar eu já tô rindo junto! Não existe coisa melhor neste mundo do que rir de doer a barriga! O João ama contar piadas e sempre tem os vídeos mais engraçados do YouTube. Nos intervalos da escola, a gente morre de rir juntos!

Cami é totalmente desligada de tudo, tem um mundo próprio. A gente sempre tem que chamá-la para o mundo real. Por isso, tá sempre com a matéria atrasada. A salvação dela é o meu caderno (vejam só!).

Sim, eu salvo alguém com meu caderno, então dá pra ter uma ideia sobre a Cami. O que ela tem de distraída, tem de criativa. Sabe desenhar muito bem! E eu??? É difícil falar da gente, não?!

Não sou lindaaaa nem feiaaaa. Não sou magra nem gorda! Não sou inteligente nem burra. Não! Pera aí!! Menos!!! Inteligente eu sou! Só minha professora de Matemática não acha isso, mas aí... E, como disse antes, sou beeem tímida!!!

Como é bom ter amigos. Por eles faço qualquer coisa. Eles fecham comigo – quero dizer, combinam comigo.

Eu era feliz e não sabia
– Parte 2

Pensei que a função dos pais era ajudar os filhos, mas parece que meus problemas não são nada perto do que os meus pais estão passando. E o pior: eu não percebi. Naquele dia, naquela reunião de amigas em que minha gata Lua acabou me denunciando, a vida seguiu após o choro da minha mãe. Ela disse: "Minhas filhas só sabem cobrar e não conversam mais comigo".

Sim, é verdade, mas achei que ela não queria falar, pois estava muito ocupada com as suas coisas, e eu iria atrapalhar.

E por que ela disse que está feia? Ela é minha mãe, e mãe a gente não fica pensando se é bonita ou feia.

Acho que minha mãe tem 45 anos. Na verdade, ela não faz muita questão que a gente saiba.

Dona Beatriz é formada em Jornalismo, está sempre bem-vestida, tem um cabelão lindo e é muito comunicativa. Ao contrário de mim. Sempre trata as mães das minhas amigas, suas amigas e pessoas que conhece com alegria e educação, uma calma divina... (bem diferente daqui de casa, em que a base é o grito). É como minha irmã: com as colegas é a mais querida; comigo é o diabo.

O que eu não consigo entender é a minha mãe se achar feia. Nunca pensei que ela se sentisse assim.

A gente se acostuma com os pais reclamando, parece que faz parte, que é normal, a maioria é assim. É muita coisa para entender, mas posso não agir como minha irmã, que só pensa nela.

Falando na Ana (pra variar o foco um pouco), ela é linda (tenho que admitir), popular, inteligente e carismática. Sim, tudo isso com os outros, no Insta e TikTok. Porque aqui em casa o vocabulário da minha irmã não é dos mais variados:

– *Mãe, minha roupa tá pronta?*
– *A minha comida tá pronta?*
– *Pai, quero dinheiro para a festa!*
– *Sofia, leva a Mel para passear.*

A cachorra é dela e eu que tenho que levar pra passear. Vou porque gosto da Mel. E ela não tem culpa de ter uma dona assim.

A Ana parece que nasceu grudada com o telefone dela. Passa o dia postando fotos de tudo o que faz, com um rosto que não é o dela. Quero dizer, tem tanto filtro, tanto brilho e modificações, que para mim não é ela.

Não é hora de pensar na minha irmã, ela tem a vida pra se resolver. Tenho que pensar é nos meus pais.

O que eu vou fazer? Agora já está tarde, preciso dormir para amanhã conseguir estudar para a prova de Matemática. Não é a melhor hora para mais decepções na casa.

Será que eu e minha irmã estamos atrapalhando a vida dos nossos pais? Será que me tornei uma pessoa egoísta como a Ana e não percebi?

Minha mãe disse que só se dedica para a gente e para a casa. Não tem tempo para ela. Não tem tempo para o meu pai. Ou seja, para eles.

Na verdade, se pensar um pouquinho, lembro que escuto as pessoas falando o tempo todo que não conseguem tempo para a própria vida. É um fenômeno dos adultos de hoje? Que coisa!

Será que eu e minha irmã somos as culpadas de tudo isso?

Mal posso esperar para falar com minha avó, mas não vou mandar mensagens estragando a viagem dela e do meu avô. Imaginem eles em Paris e eu ligando para dizer:

– *Vó, escutei uma conversa muito louca da minha mãe... e acho que meus pais vão se separar.*

Oi??? Só que não, né? Tudo tem seu tempo e hora, como diz minha avó. Só espero que o tempo dos meus pais não tenha acabado.

Se pelo menos pudesse contar para minha irmã.

Será que falo para a Clara, afinal, melhores amigas são para todas as horas? Mas a história da Clara é tão diferente da minha. O pai dela morreu quando ela era bebê. Sim, muito triste... Ela nunca viu os pais juntos.

Realmente não sei o que fazer. Vou tentar dormir.

Analisando na escuridão

QUEM DISSE QUE CONSEGUI DORMIR? SÓ PENSAVA na minha mãe chorando. Pensei em falar com ela, mas conheço muito bem Dona Beatriz, ela iria dizer que está tudo bem. Que eu deveria me preocupar com a minha prova de Matemática.

Falando na prova de Matemática (que havia três dias era o bicho-papão da minha vida), virou um ursinho de pelúcia. Tenho certeza de que fui muito bem. Quando a gente tem um problema real na vida para resolver, os problemas de matemática viram apenas problemas de matemática: você estuda e os resolve.

No caso dos meus pais, infelizmente, não posso fazer nada.

Só quero ir para minhas aulas, ver meus amigos, ter uma cama para dormir, não ficar doente, comer... Talvez essa seja a minha vontade: sobreviver, seguindo minha vida sem pensar muito. O meu problema é pensar muito. Acho que a Ana que tá certa, a gente tem que pensar na gente.

Não reclamando da comida, dormindo, passando de ano, tudo isso já tá bom. Já vou ganhar nota dez como filha.

Ainda na escuridão
– Parte 1

Só que a minha cabeça é uma bomba-relógio. Ainda bem que tenho meu *blog* para explodir. O que aconteceu comigo depois da conclusão de que não poderia ajudar a minha mãe? Continuei pensando nela.

Fiquei a semana toda prestando atenção no meu pai. Ele sempre foi caladão. Não gosta de discutir e prefere "seu futebol" – que, na minha opinião, é do que ele mais gosta na vida. Sim, estou escrevendo: na vida!!! Mais que tudo! Eu, minha irmã e (pelo que estou percebendo agora) minha mãe estamos em uma escala inferior.

Ele ama futebol e deu o azar de ter duas filhas que não curtem nem um pouco esse esporte. Tadinho do meu pai. Ele tentou de tudo para a gente gostar! Levava nos estádios, dava refrigerante, salgadinho, tudo que vendiam, mas nada nos fazia curtir aquele lugar.

Na real, a gente era tratada como umas princesas no estádio, mas não deu certo. Tudo era mais interessante que o futebol. Eu ficava lendo um livro, e minha irmã, no celular. Isso por um tempo, porque ele ficava furioso e pedia para a gente prestar atenção no jogo. Aí virou uma tortura aprender regras de futebol. Era pior que Matemática. Então, ele jogou a toalha, desistiu.

Fico aqui pensando como é a vida, né? A minha amiga Clara adora futebol, sabe tudo sobre esse esporte e não tem pai. Como já contei, ele morreu quando ela era muito pequena.

A vida tem dessas. Minha avó sempre diz que nada é por acaso e que com tudo na vida se aprende alguma coisa. O que não nos mata nos fortalece!

Acabei observando mais a vida aqui dentro de casa, mesmo não querendo pensar nisso. Parei um pouco de pegar o meu celular, de jogar... enfim, comecei a ver a minha família com outros olhos. Ver mesmo! Porque a gente vê, mas não vê. A pessoa tá ali, você responde se perguntam alguma coisa, mas tudo meio no automático.

Aqui no meu *blog* posso ser sincera comigo mesma. Eu não enxergava a minha família. Não prestava atenção. Principalmente na minha mãe. Ela realmente está triste. O meu pai e minha irmã também não perceberam. Essa frase que a minha mãe falou mexeu comigo. "É como se eu fosse aquela estante, que sempre esteve ali desde que a gente se mudou pra cá."

É duro, mas ela estava falando a verdade. Pior, era como se só existisse quando alguém "tropeçasse" nela, como os móveis com os quais ela se comparou. Triste.

Minha mãe perguntava para a gente: "Como foi o seu dia?". E eu e minha irmã sempre respondíamos: "Normal, mãe!!!".

O normal para ela era nos ouvir contando alguma coisa, algo que mostrasse que valeu a pena ela deixar de trabalhar um bom tempo, se dedicar a nós. Mas não! As princesinhas respondiam, sem olhar pra ela: "Normal".

Pensei em tudo o que a minha mãe falou para as amigas e concluí: ela está certa e precisa de mais atenção, mas sobre estar feia eu realmente não concordo.

Aquela amiga *perua* da minha mãe é uma "mal-amada" (como já ouvi secretamente meu pai dizer sobre a dita senhora). Ela acha que se ficar jovem de novo vai arrumar um namorado e vive fazendo plástica no rosto. Está ficando cada dia mais parecida com as minhas bonecas de plástico, que, juro, parecem ser mais naturais que ela.

Na minha opinião de dez anos de vida, se ela gastasse o dinheiro dela com mais livros e viagens, talvez tivesse assuntos mais interessantes e arrumaria "o tal namorado" com quem tanto sonha.

Um dia conversei com a minha avó sobre ela. Disse que, de todas as amigas da minha mãe, eu realmente não ia com a cara dessa *perua*.

Minha avó é muito educada, não gosta de falar mal de ninguém, nem de julgar (diferentemente da neta aqui). É incrível como uma senhora de 75 anos não tem preconceito nenhum!

A conclusão da minha avó foi:

– EQUILÍBRIO!!! Equilíbrio em tudo!!! Parece fácil, mas não é. Todo mundo tem o direito de se sentir bonita ou bonito. Isso faz muito bem! Eu nunca fiz plástica, mas, se alguma coisa estivesse me incomodando, eu faria.

Pelo jeito como minha avó falou, não tinha como duvidar de que era absolutamente verdade.

– Mas você sabe o quanto eu me cuido. Faço exercícios, uso cremes e gosto de me vestir bem! Quando as rugas começam a aparecer, a gente acha estranho mesmo. Vivemos em mundo em que a juventude "é tudo". Por isso, quando se está envelhecendo, muitas vezes nos sentimos com medo de não sermos mais... "vistos".

Minha avó fez uma pausa longa. Era sinal de que aquele tema lhe tocava profundamente. Ela raramente faz isso, então prestei muita atenção, porque era algo realmente pesado pra ela.

– Espero que a sua geração seja diferente. Que vocês consigam ver as pessoas "de verdade"! Que idade, cor ou gênero, preferências, tudo isso seja só uma coisa que pertença a cada um, e não à opinião dos outros.

Ela saiu do "transe" em que estava, como se visse no ar as palavras que dizia, e olhou pra mim. E então continuou:

– Eu acredito nisso, Sofia. Alguma coisa tem que melhorar na geração de vocês. Acredito.

Na verdade, não entendi muito bem isso das rugas, mas ela estava tão verdadeira no seu discurso que eu queria compartilhar minha opinião:

– Entendo, vó, a gente tem que tratar todo mundo como a gente gostaria de ser tratado.

– Isso parece uma mudança mínima, mas é gigantesca. Com o passar dos anos, nosso corpo vai modificando, mas, por outro lado, nós ganhamos sabedoria, experiência e tranquilidade. A natureza é sábia, ela vai modificando aos poucos. Isso é natural! Nós fazemos parte dela. Temos que aprender. Talvez o que falte para Soraia – é esse o nome da amiga da minha mãe – seja focar a vida dela em outras coisas. No entanto, se ela se sente bem e bonita assim como está, tá bom, é o que importa.

Enquanto minha avó falava isso, fiquei observando o tempo todo o rosto e o jeito dela. Então comentei:

– Vó, eu já disse mil vezes, mas acho mesmo lindas as suas ruguinhas. Eu queria ter.

Minha avó encheu os olhos de lágrimas! Sorriu para mim e disse:

– Eu não falei que a sua geração seria melhor?

Minha avó é show mesmo. Amo muito aquela "senhora". Se ela soubesse a falta que está fazendo aqui neste momento...

Observei minha família, pensei muito no assunto e desisti. Ficaria na minha, vivendo minha vida e fazendo o que eu podia como filha. Ou seja, estudando. Se meus pais se separassem, não seriam os únicos, e eu teria que aprender com essa situação.

Ainda na escuridão
– Parte 2

Desculpem ser repetitiva, tanto no assunto como nos títulos sobre escuridão, mas estou realmente no escuro.

Queria deixar no escuro a conversa que ouvi da minha mãe com as amigas. Fiz realmente de tudo, até estudar mais. Juro que comecei a estudar os conteúdos que os professores davam, no próprio dia da aula, sem deixar para fazer isso um dia antes da prova, como sempre.

Ocupei minha cabeça com livros, filmes, jogos... É como minha vó fala: "Cabeça vazia é oficina do diabo", hahaha! O diabo não queria me largar, e o meu anjo da guarda, daquele momento, tinha dado uma saída.

Até que minha avó me mandou uma mensagem:

– Já leu o livro que deixei para você?
– Livro? Que livro, vó?
– Eu deixei o livro *Fernão Capelo Gaivota* com sua mãe para ela te entregar.

Como minha mãe se esqueceu de me entregar um livro? Um grande crime comigo. *Parece que ela não conhece a filha que tem! Inacreditável!*

Sou tímida, não falo muito (já disse, eu sei), mas quando falo todos prestam atenção, nem que seja na base do grito:

– Mãeeeeeeeeeeee!!! – enchi meu peito de ar, misturado com toda a angústia que vinha passando naqueles dias, e gritei mais forte ainda: – Mãeeeeeeeeeeeeeeeeeeeeeee!!!!!

Minha mãe entrou no meu quarto apavorada, pálida, achando que eu tinha me machucado, caído de algum lugar. Tá bem, no final achei que peguei pesado, mas era tarde para me arrepender. Mantive minha indignação.

– Mãe, por que você não me entregou o livro que a vó deixou para mim?

Levantei a cabeça, ergui meu queixo e fiquei olhando no fundo dos olhos dela. Afinal, aquilo era traição.

– Você quer matar a sua mãe, é isso? Ficou louca? Por que fazer um escândalo desses por causa de um livro?

É, acho que peguei pesado, mas não podia voltar atrás.

– Mãe, você não sabe o quanto tô precisando de um bom livro? E você com esse livro? Perdeu? Por isso que não me entregou?

– Por que você está precisando tanto de um livro? A sua vida não é boa? Você precisa "fugir" da sua realidade? E quem disse que esse livro é bom? Tá doida?

Surreal! Minha mãe não tem noção da importância de um livro, ainda mais quando é minha avó quem indica. O que eu falaria depois desse comentário? Resolvi não enfrentar a fera! Ela não me entenderia.

– Mãe, você está com o livro, ou não?
– Tá dentro da minha bolsa, no meu quarto!

Saí correndo em busca do tesouro perdido, mas não sem antes me redimir:

– Desculpa, mãe, peguei pesado! – falei e saí de fininho.

Acho que ela também estava precisando de um bom livro para se entender.

Uma gaivota chamada Fernão Capelo na minha vida

Quando achei o meu tesouro perdido dentro da bolsa da minha mãe, o mundo exterior acabou para mim. Só existia o mundo do livro. Me tranquei no quarto e comecei a ler imediatamente. Queria descobrir quem era esse Fernão. Até que, de repente, levei um susto com as batidas na porta do meu quarto.

– Sofia, já é muito tarde. Você precisa dormir, tem aula amanhã. Para de ler!

Como sei que com Dona Beatriz não tem conversa, apaguei a luz e fiz de conta que estava dormindo, mas minha cabeça estava nos voos de Fernão. Esperei que a casa ficasse em silêncio para ter certeza de que todos estavam dormindo e voltei ao meu livro. Passei a noite lendo. O dia clareou, e as minhas ideias também.

Minha avó tem livros guardados desde quando ela era criança. *Fernão Capelo Gaivota* foi publicado em 1970, e foi lido por ela quando tinha vinte e poucos anos. Então, as páginas que eu tenho em minhas mãos têm mais de cinquenta anos. Ainda bem que não tenho rinite, hahaha.

Minha avó sempre diz que um livro tem que ser lido no momento certo, na idade certa, porque, se você errar isso, o feitiço vai se voltar contra o feiticeiro. Ou seja, o que era para ser crescimento vira raiva.

Mais uma vez aquela senhora com as ruguinhas mais lindas que já vi na minha vida acertou. Era tudo que estava precisando ler.

O livro conta a história de Fernão, uma gaivota que quer aprender a voar com perfeição e viver outras experiências, sem se ocupar apenas em comer os restos de peixes que sobram dos pescadores. Ou seja, enquanto seu bando faz uso do voo apenas como meio para obter comida, Fernão quer aprender a voar com amor, prazer, desafio, aprendizado. Claro que, por pensar diferente do bando, ele começou a sofrer *bullying*. Além disso, seus pais ficavam preocupados por ele pensar tão diferente dos outros.

Eu estava agindo como o bando de gaivotas, que apenas queria sobreviver: não mudar nada, ficar quieta, não me meter, deixar a vida passar. Eu não sei se vou conseguir entender o que está acontecendo aqui em casa, mas tentarei. Vou procurar voar mais alto. Posso cair, posso me machucar, mas posso ir além e fazer a diferença na vida das pessoas que amo. Minha mãe precisa de mim. Sinto isso. Prepotência minha? Não! Risco. Sou a gaivota que vai se arriscar.

Fernão entra num novo mundo onde existem gaivotas que pensam como ele. E foi assim que me senti quando li *Fernão Capelo Gaivota*: eu estava entrando em outro mundo, numa nova forma de pensar. Estava preparada para uma nova jornada na minha vida. Não seria fácil, assim como não foi para Fernão. E tive a certeza: *Esse livro com certeza vai mudar a minha vida!*

Nós somos o resultado das nossas escolhas

Sendo assim, a situação sendo essa, tomei a decisão de conversar com a minha irmã. Bati na porta do quarto dela e logo ouvi:

– Quem é? – ela perguntou com aquele mau humor habitual.

– Sofia! – eu respondi.

– Agora não posso, Sofia!

Abri a porta. Por um milagre não estava trancada, como de costume.

– Você vai falar comigo e é agora! – ordenei. – Nada na vida é mais importante do que o que eu vou falar. Você não tem ideia do quanto é difícil dizer o que vou falar, mas... preciso da sua ajuda!

Lembram-se do que eu disse? Sou tímida, quase não falo, mas, quando falo, as pessoas prestam atenção, incluindo minha irmã. Ela me olhou com aquela cara de "nojinho" e disse:

– Ok, você venceu! Entra. Qual é o drama?

A minha vontade era de virar as costas e sair. Ela estava se achando, porque eu precisava conversar com a *rainha* e ela iria conceder o seu precioso tempo para mim, uma humilde serviçal.

Respirei fundo e sentei na cadeira junto ao computador. Na cama da minha irmã ninguém senta. É uma mania dela. Aliás, uma "das manias" dela.

– Tá bem, Sofia. O que é tão importante assim? Desembucha logo, porque vou me encontrar com as minhas amigas daqui a pouco.

– Ana, eu cheguei da escola e fiquei escutando uma conversa da mãe com as amigas, sem que elas percebessem.

– Que coisa mais feia isso, Sofia! Que horror escutar a conversa dos outros.

– Ana, isso não é importante agora.

– Tá bom! Então fala logo o que aconteceu de tão grave! Menina Sofia, o que te aflige tanto, minha irmã?

O tom de deboche dela sempre me deixa louca. Odeio quando ela me chama de "menina Sofia"! Como se cinco anos representassem muita diferença. Ela se acha uma adulta, e eu, a pirralha que não sabe de nada. Por isso, ela não quer mais andar comigo. Nem pensar em ir para a escola com a irmã mais nova! Tipo: sou uma alienígena e deve ser contagioso falar comigo.

Sinceramente, apesar de tudo, agradeci por ter uma irmã e poder dividir aquele problema com ela. Respirei fundo novamente – perdi as contas de quantas vezes respirei fundo – e falei:

– O pai e a mãe vão se separar!

Minha irmã ficou me olhando por um tempo sem dizer nada. Era como se uma voz do além tivesse falado e ela não acreditasse no que havia escutado.

Engoliu em seco, tentou voltar à sua natural arrogância e perguntou:

– Como assim? De onde você tirou isso? Você ouviu isso? O que você ouviu exatamente?

– A mãe começou a reclamar que estava velha e feia. Disse que nosso pai não gosta mais dela. Falou também que a gente não conversa mais com ela. Algo parecido com... que ela é como aquela cristaleira antiga lá da sala, que está ali, ninguém sabe bem por que, mas faz parte da decoração. Ou seja: ninguém mais a vê.

– Para de viajar, Sofia!!! Você ouviu a palavra separação, ou não???

– Não ouvi, mas, se ele não gosta mais dela e ela não sabe se gosta do pai, a tendência é essa, né?

– Não sei, Sofia. Só sei que a maioria da minha turma tem os pais separados. A gente não tem que se intrometer nessas coisas. Eles que devem se resolver. Fica na sua! São tantos os pais separados que os nossos seriam mais um casal a não estar mais junto.

Não sei o que me deu. Senti um aperto no coração e, quando vi, lágrimas escorriam dos meus olhos. Que vergonha! Estava chorando na frente da minha irmã. Ela ia se sentir ainda mais superior. Eu ali, uma criancinha chorona.

– Sofia, não chora. A gente vai resolver isso! Eu prometo.

Quando ela falou isso, desabei a chorar! Não eram mais lágrimas, mas soluços convulsivos! Foi aí... que ela me deu um abraço. Não lembrava mais da última vez que minha irmã havia me abraçado, mas fazia muito tempo.

– Sofia, não pensa mais nisso. Vamos ficar de olho na mãe e no pai e nos falamos. Não conta nada para a vó. Ela não tem que se preocupar na viagem.

– Tá certo, tá certo, eu também pensei isso.

Realmente, estava impressionada com a minha irmã. Ela havia acreditado em mim. Nunca pensei que isso fosse acontecer.

No outro dia, pela manhã, ela estava com óculos escuros. Todo mundo achou muito estranho, mas só minha mãe teve coragem de perguntar:

– Agora é moda usar óculos de sol dentro de casa?

A Ana disse que estava com sono e que depois tirava. Mas os olhos dela estavam muito inchados. Ok, sei que quando a gente acorda é normal, mas, com certeza, para estar daquele jeito ela tinha chorado boa parte da noite. Aquela tranquilidade que ela aparentou havia sido *fake*. Dava pra sentir.

Depois da escola, a Ana entrou no meu quarto.

– Sofia, posso falar com você?

– Claro.

Há diálogo e civilização entre irmãs, pensei.

– Não quis falar nada para você ontem, mas eu já estava suspeitando de que o pai e a mãe estavam diferentes. Eu não sei como dizer...

Ela realmente estava estranha. Onde andava aquela Ana superior, que sabe de tudo, a popular da escola? Estava ali, meio sem jeito, com medo e insegura. Tendo o maior cuidado para falar algo para mim.

O que ela sabia? A minha intuição estava certa, aí vinha mais coisa:

– A minha amiga me falou que viu o nosso pai num café perto da casa dela conversando com uma mulher mais jovem que ele. E que os dois estavam rindo, parecendo se divertir bastante.

– Você quer dizer que o pai está gostando dessa mulher?

– Não sei, Sofia. Só sei que fiquei desconfiada de a minha amiga me falar isso. E depois você veio com essa história.

– Eu só ouvi o que a mãe disse para as amigas. Quem sabe a gente fala com ela ou com o pai? Aí, a gente fica sabendo o que realmente tá acontecendo.

— Tá louca, menina!? Claro que não, Sofia! Vamos prestar atenção, escutar as conversas da mãe com as amigas. É o melhor jeito. Eu acho...

Ana estava certa, o melhor era esperar um pouco mais.

Como minha avó faz falta nessas horas. Se ela estivesse aqui, saberia o que fazer, como nos orientar. Fico pensando se ela já passou por algum problema no casamento. Ela e o vô sempre se deram tão bem. Nunca vi eles brigarem. Pelo menos é o que acho. Já não tenho certeza de mais nada.

Pensando bem, nunca vi a mãe e o pai brigarem também e... Eles só brigam por causa da gente, quando não vou bem na escola, ou quando a Ana fica pedindo muito dinheiro. Isso é normal. Pelo menos eu acho normal. Eles não brigam por causa deles.

Eu e a Ana combinamos de levar um café da manhã na cama para nossos pais. A gente ia ver no que daria.

A Ana não é tão egoísta quanto eu pensei.

Quando comecei a pensar na possibilidade de separação dos nossos pais, me lembrei do pai da minha melhor amiga, a Clara, aquele que morreu quando ela era muito pequena. Ela tinha três anos, e o que ficou dele são as fotos.

Ela tinha tudo para ser uma menina revoltada com a vida. O pai dela teve um infarto. Levava uma vida estressante, fumava, bebia, não fazia exercícios, só pensava em trabalho. Enfim, não se cuidava.

A mãe da Clara está sempre com um namorado novo, mas a minha amiga encara isso numa boa e diz que aprende muito sempre. Sei lá... Quando ela me conta, eu acho engraçado; mas, no fundo, prefiro acreditar que é verdade. Por que não?

Um dos namorados da mãe de Clara era *chef* de cozinha e ensinou a minha amiga, quando ela tinha sete anos, a fazer *cupcake*. Ela faz até hoje, e são maravilhosos.

Agora a mãe dela namora um músico que está ensinando a Clara a tocar violão. Eu torço para que um dia a mãe dela namore um professor de Matemática! Aí vou me incluir nesse aprendizado.

"O tiro saiu pela culatra"

Nunca entendi direito essa expressão que minha avó fala a vida inteira, mas agora acho que meu cérebro (aquele inimigo da matemática) resolveu me explicar: às vezes a gente quer fazer uma coisa boa, mas sai ao contrário... enfim... Já sacaram por que estou falando isso, né? O café da manhã preparado para os nossos pais foi um pouco desastroso! Queimamos as torradas, e o café ficou muito amargo. Com a fumaça da torradeira, meu pai e minha mãe acordaram apavorados, pois pensaram que a casa estava pegando fogo.

Falei para a Ana que os *cupcakes* da Clara iam nos salvar, mas nem isso funcionou, porque a minha mãe estava de dieta (aliás, está sempre de dieta...).

Ok, nossa primeira tentativa de reaproximar nossos pais deu muito errado. Isso sem falar na sujeira da cozinha. Nós tentamos arrumar tudo, mas minha mãe ficou estressada, porque a gente não limpou direito. Assim, resolveu ela mesma organizar as coisas. Enfim, frustração pouca é bobagem, dizem, mas era tudo o que estávamos sentindo. Meu avô que fala: "De boas intenções o inferno tá cheio". Pois é...

Minha infância querida

Minha mãe fez uma nova reunião de mulheres, e a Ana quis espiar junto comigo. Nós fingimos que estávamos nos nossos quartos e nos escondemos perto da sala para escutar tudo. É bom ver filmes de espionagem. A gente sempre aprende alguma coisa com eles.

A mãe contou para as amigas a nossa tentativa de café da manhã, quando veio a parte mais louca da conversa: ela elogiou nossa atitude e se puniu por ter ficado estressada.

Eu e a Ana não parávamos de rir, daquele jeito em que a barriga fica doendo, sabem? Não podíamos rir alto, porque elas iam escutar, é lógico. Constatamos que a nossa mãe estava louca. Brincadeirinha! A palavra certa é: estressada!

Ela precisa de um psicólogo, ou alguma coisa assim, não temos dúvidas. Não entendemos do assunto, mas que precisa, precisa. O mais doido é que as amigas dela falaram a mesma coisa.

Os adultos adoram complicar tudo. Lembram-se da infância e da adolescência como se esse período tivesse sido um paraíso. (E se for? Ai, meu Deus...)

Falo isso porque foi o assunto principal da reunião de mulheres. Resumindo: elas se recordaram do quanto era bom ser criança e de que sempre tem uma mãe para limpar a sujeira dos filhos. Claro que falaram a velha frase: "Só temos que estudar e ainda achamos difícil".

— Tudo nessa idade é fácil — diziam elas. — Para ir numa festa é só pedir dinheiro. Adoece, e a mãe corre pro médico.

Conclusão das amigas da minha mãe: ser criança é muito bom, e ser mulher hoje é muito difícil. Na verdade, sempre foi difícil ser mulher. Antes, tinham que obedecer aos pais (na verdade, ao pai), e, depois, aos maridos. Além disso, dependiam dos homens para tudo. A "função" da mulher era ser dona de casa e cuidar dos filhos. Ou seja, se não tivesse se casado ou não gerasse filho, estava fora dos padrões da sociedade. Aí, sua função era cuidar de alguém, geralmente dos pais quando ficassem velhos.

Claro que tínhamos exceções, como: Coco Chanel, a empreendedora da moda; Frida Kahlo e Tarsila do Amaral, nas artes; Jane Addams, assistente social; Marie Curie, que venceu o Prêmio Nobel de Física; Indira Gandhi, a líder feminina na Índia; Simone de Beauvoir, escritora, filósofa e ativista política. Enfim, mulheres que quebraram barreiras. Incluo aí nessa lista a minha avó.

O tema voltava a ser rugas, idade, beleza, crise, o de sempre. Outra amiga da minha mãe complementou:

— Na França, as mulheres são elegantes, se alimentam bem, usam muitos cremes para cuidar da pele e respeitam a idade que têm. Não brigam com o tempo e são bonitas, cada uma à sua maneira.

Pensei na hora: *Acho que minha avó aprendeu com as francesas.*

Claro que a Soraia, amiga *perua* da minha mãe... Minha avó já me pediu para parar de chamar a Soraia de *perua*, mas a Soraia mesma diz que é *perua* e gosta disso. Então, voltando, a famosa Soraia reagiu porque se sentiu ofendida com o que essa amiga falou sobre a sua opinião sobre as francesas.

– Por que vocês estão falando isso? Vocês acham que faço plásticas demais?

Uma delas, com coragem, respondeu que sim, que ela deveria parar de esticar a pele e, ao contrário, aumentar os roteiros de viagem, o tempo no café, a conversa com os amigos; enfim, ela tinha que aproveitar mais a vida.

Deu a maior briga. A Soraia ficou muito furiosa e disse que não participaria mais das reuniões. Falou também que a minha mãe deveria fazer uma lipoaspiração na barriga. Que aquela pele extra estava horrível. (Sobrou pra minha mãe, que não tinha dito nada pra Soraia. Mas... não era um bom momento da minha mãe.)

Essa reunião foi surreal, como afirmou a Ana. Ela ficou chocada e disse que não queria envelhecer.

– Não quero chegar nessa idade assim.

Eu só pensava sobre aquela palavra gigante: lipoaspiração! A Ana me explicou que era para tirar a gordura da barriga. E lembrei do que a minha avó disse: EQUILÍBRIO É TUDO!

Concordo que a Soraia deveria parar um pouco de fazer plásticas, mas, como minha avó falou: temos que ter respeito. Se a Soraia se sente bem assim, está tudo bem.

Não concordo que a minha mãe ficaria mais bonita se fizesse essa tal de lipoaspiração. Acho que ela ficaria mais bonita se ficasse mais feliz, se sorrisse mais.

Essa reunião foi muito ruim para minha mãe. Ela realmente ficou deprimida. Eu, na verdade, fiquei com medo de crescer (já tinha, né?).

De novo me pergunto: como os adultos criam problemas? As pessoas querem sempre modificar as outras, convencendo-as do que é certo ou errado! Todo mundo tem que fazer a mesma coisa? Todas as mulheres, para serem consideradas "modernas" (pelo que entendi da conversa), devem ser magras, bonitas, trabalhar e ter filhos. Será que é isso? Não é muita coisa?

E o meu pai? Será que está gostando de outra pessoa? E minha mãe? Será que ainda gosta dele? Esses dias os dois voltaram de um jantar de amigos do tempo da escola e já chegaram em casa brigando. É uma nova (e péssima) fase que estão vivendo.

O meu pai comentou com minha mãe o quanto as mulheres da escola tinham envelhecido. Aquelas infelizes reflexões:

– Quase não reconheci a Martinha. Ela era a gatinha da escola.

Minha mãe "fez" um raio X no meu pai e falou:

– Por que só comentam sobre o envelhecimento das mulheres? Como se vocês, homens, não envelhecessem também! Olha a sua barriga, André. Tá quase careca! E cheio de rugas...

Acho que a minha mãe realmente não estava mais gostando do meu pai...

Seu André fez o de sempre: não comentou mais nada. Eu fiquei ali, pensando de novo sobre esse tal envelhecimento. Minha avó às vezes sente uma dor nas costas; meu avô não ouve direito. Meus avós são bem mais velhos que meus pais e não reclamam como eles.

Bênção, vó

Minha avó voltou! Felicidade total!!!

– Vóóóóóóó, que saudade! Você não tem noção do quanto fez falta! – disse eu, me desmanchando ali na frente da minha velha e amada avó.

– O que vocês andaram aprontando? – ela perguntou com um sorriso, sem esconder que tinha mais dúvidas do que alegria.

– Nada, vó! Mesmo! Parece mentira, mas é verdade – eu tentava disfarçar, mas sempre fui uma péssima atriz e sempre serei.

– Achei sua mãe triste.

– É... mais ou menos, mas depois falamos sobre isso. Agora quero meus presentes de Paris!

Minha avó já tinha me mandado várias fotos por WhatsApp, mas é sempre melhor os comentários ao vivo.

Ela me trouxe um livro do Museu do Louvre e do Museu Rodin. Perguntei sobre a obra mais famosa do Leonardo da Vinci, a *Mona Lisa*, que está no Louvre. Achei tão pequena na foto que ela me mandou.

– É verdade, todo mundo acha que é um quadro enorme, mas não é! – explicou minha avó, confirmando minha decepção.

Mas o que importa o tamanho? Como sou idiota de falar isso. No fundo, mas bem lá no fundo, eu pensava: *Eu adoro a Mona Lisa. Aquele sorrisinho dela é muito suspeito, parece que ela olha pra você e diz: "Eu sei de todos os seus segredos e ninguém sabe o meu...". É muito misterioso!*

Como a gente se prende a bobagens. Nunca fui ao Louvre, mas gosto da *Mona Lisa* e pronto. Se é pequeno o quadro, paciência, eu sempre pensei que era grande, mas, se o sorriso vale, deixa assim. Esquece o tamanho, não é?

Sobre o Museu Rodin, ela me contou a história dos escultores Camille Claudel e Rodin. Camille (assistente de Rodin) era uma mulher muito moderna para a sua época. Os dois eram apaixonados, mas Rodin era casado. A esposa de Rodin era muito doente, e ele não tinha coragem de se divorciar, seria um escândalo muito grande na época. (E hoje? Mudou?) Camille não se conformou e acabou enlouquecendo.

– Uma artista fantástica, com um potencial enorme, morreu em um hospício – concluiu minha avó, com um ar de quem falava sobre alguém da família.

Eu, impressionada com aquela história, olhei para ela e falei:

– Eu acho que meu pai está apaixonado por outra mulher.

Depois de 4 segundos, quando nem uma mosca se arriscava a voar no nosso espaço aéreo, minha avó retomou o fôlego.

– Como assim, Sofia? Por que você está falando isso?

Expliquei tudo para minha avó, com todos os detalhes. Ela me olhou com muita tranquilidade e disse:

– Calma, Sofia. Eu vou falar com sua mãe!

– Não, vó! Ela vai saber que te contei, que ouvi as conversas dela, e vai ficar furiosa comigo. Você sabe que a mãe é durona, que não aceita ajuda.

– Eu sei! Essas mulheres duronas como sua mãe, que acham que sempre podem resolver tudo sozinhas, são as que mais precisam de ajuda. Deixa comigo!

Esse jeito de falar da minha avó era legal, mas naquele momento não me deixava tranquila.

Quando cheguei em casa, logo recebi uma mensagem da Ana: "Temos a prova!".

Era uma foto do meu pai conversando com uma mulher. Me impressionou a foto, os dois rindo, de gargalhar. Fazia muito tempo que não via meu pai assim, sorrindo. Realmente ela era uma mulher mais jovem. Achei estilosa, tinha mechas de cor lilás no cabelo e não seguia, nem de longe, o padrão de beleza tão falado pelas amigas da minha mãe.

Eles estavam num café perto do trabalho do meu pai. Pareciam felizes conversando.

Agora tínhamos uma prova. Será que era verdade tudo isso? Meu pai estava mesmo apaixonado por outra mulher? Corri e contei para minha avó, que disse para eu ficar na minha, e que não tinha nada de mais duas pessoas conversando.

Fiquei na minha. Guardei para mim toda a angústia que meu coração poderia suportar. Pensava o tempo todo só numa coisa: *Como a gente é possessivo com os nossos pais.* POSSESSIVO. (Percebam que coincidência, aprendi essa palavra, naquela semana, que significa: que manifesta desejo de possuir ou dominar, que ou quem não dá liberdade a quem ama para se relacionar com outras pessoas.)

Nos sentimos donos dos nossos pais. Na boa, até hoje não gosto de ver meus pais se beijando. Vejam que ridículo isso, mas é verdade! Bom, vou confessar que vi poucas vezes (tem gente que diz que não viu nunca...). Lógico que isso não é um bom sinal, mas pensava que era normal.

Mãe e pai têm que se beijar quando são namorados; depois que tem filhos, não. Que horror pensar assim. Ridículo, ridículo, ridículo!!! Ok, passou. A verdade é que os filhos são egoístas mesmo. Assim como nossos pais também são possessivos com os filhos. Principalmente os pais com as filhas. O meu pai nem imagina que a Ana, a filhinha mimosa dele, está louca para beijar.

Por que os pais ficam tão preocupados ou nervosos ao pensar que a própria filha vai beijar na boca? Ou namorar? Minha mãe já passou por isso! Meu pai também! E deve ter sido com a mesma idade da Ana. Então... o que tem de tão misterioso nisso?

De repente, a Ana bateu no meu quarto e entrou para falar comigo. Levei um susto! Estava concentrada escrevendo no meu computador. Ela logo foi olhando e perguntando o que eu tanto escrevia. Dei um jeito de fechar a tela e expliquei que gostava de escrever. Ela não se interessou muito! Na verdade, não deu bola e já foi falando o que precisava dizer:

— Sofia, você viu a foto?

— Vi e falei para a vó, que disse para a gente ficar na nossa.

A Ana me olhou com aquela cara pragmática (adoro essa palavra) e disse que a nossa avó estava certa! Pensou um pouco... tipo: falo ou não falo. Eu fiquei ali parada, esperando. De repente, minha irmã falou muito rápido (acho que para não se arrepender):

— Sofia, você se lembra do Bernardo?

— Sim! Aquele garoto apaixonado por você! Que chegou a mandar flores aqui para casa, tô certa? O único da sua turma que falava comigo. Claro que o assunto era você. Tipo: "A sua irmã é linda, mas não olha para mim". Chororô de um garoto apaixonado, que, por injustiça "eterna", era tratado muito mal por você.

Nunca vi a minha irmã prestar tanta atenção no que eu falava. O que será que tinha acontecido com o Bernardo? Pensei e logo perguntei:

– Ele saiu da escola, né?

A Ana parecia uma vitrola (expressão que a minha avó usa quando se refere a uma pessoa que não para de falar) e respondeu rápido:

– Sim, o pai dele foi para os Estados Unidos trabalhar, e ele foi junto, ficaram um ano fora e essa semana voltaram! Mas o Bernardo voltou muito diferente! Parece outro! Tá mais alto, com um cabelo comprido, tirou o aparelho dos dentes, aprendeu a tocar violão, e as meninas estão todas enlouquecidas por ele. Só se fala nele na escola.

Não sei como, mas tive coragem de perguntar:

– E agora você está apaixonada por ele?

A Ana ficou toda envergonhada e não falou nada. Uauuuu! Eu estava chocada! Simplesmente, não acreditei que minha irmã tivesse se aberto comigo. Isso era um verdadeiro milagre. Eu tenho que admitir que esse problema dos meus pais nos deixou próximas. Minha irmã estava contando um segredo para mim? Na verdade, ela não contou claramente que estava apaixonada, mas, como diz minha avó: "Quem cala consente". Surreal!!!

Essa história do Bernardo é bem o tipinho da minha irmã. Ela só dá valor para o que não tem. Quando o garoto estava apaixonado, ela não dava bola. Agora que ele não tá nem aí pra ela, a "princesa Ana" está completamente louca por ele. Eu acho que o Bernardo aprendeu! Falei isso para ele várias vezes: "Bernardo, se você der muito mole, ela não vai nem olhar pra você".

Ele respondia que a amava, que faria qualquer coisa por ela. Como acreditar em um garoto de quinze anos falando isso? Eu disse para ele: "Se você for muito fácil, ela não vai nem olhar pra você". Li essa frase num livro da minha mãe sobre relacionamentos. Tenho a mania de ler, nem que seja uma página de qualquer livro que apareça na minha frente.

Eu conheço muito bem a minha irmã, ela é daquelas pessoas que têm que batalhar por algo para dar valor.

Muito estranho tudo isso. Alguma coisa não tava fechando bem. O Bernardo havia chegado e nem tinha falado comigo? *Vai ver, mudou de verdade, e andar com alguém mais novo que ele pega mal, pensei.* Antes ele não se importava com o que os outros pensavam, era um garoto ingênuo, não tinha vergonha de demostrar o que queria. Eu gostava de conversar com ele. No início, quando ele chegou em Nova York, me mandou muitas mensagens falando da nova escola, das amizades que fez. Dizia que lá era considerado um cara diferente. Eu acho que ele se deu bem! Tão bem que se esqueceu da minha irmã e de mim (por ser o centro da informação dela para ele).

A Ana se encontra numa situação difícil: está apaixonada e não pode deixar ninguém perceber, porque ela é a "popular" da escola. Os garotos é que têm que se jogar aos seus pés, não o contrário. Além disso, tem a "pressão" do primeiro beijo.

Agora, preciso dormir. Amanhã começa a tortura da semana de provas! E não posso ficar de recuperação. Isso acabaria de vez com a minha mãe.

Tudo tem um fim

Esse título até pode sugestionar o fim do casamento dos meus pais, mas ainda não... Aquela tinha sido a semana final das minhas provas. Eu estava voltando para casa e... tchãrã... alguém havia gritado o meu nome:

– Sofia!!! Espera, preciso falar com você!

Eu realmente não sabia quem era aquele garoto cabeludo e andando de *skate*. O "garoto estranho" me perguntou:

– Não reconhece mais os amigos?

Que medo que me deu! *Assalto! Vai roubar meu tênis novo! O que mais pode querer de uma pobretona que nem eu?* Era minha cabeça pensando sem ordem nenhuma. Quando fiz que ia correr e salvar meu melhor patrimônio – meus tênis –, ele falou:

– É o Bernardo, garota!!!

Não acreditei, fiquei chocada! Minha irmã estava certa, ele estava lindo! Como uma pessoa pode mudar tanto de um ano para outro? Será que os Estados Unidos fazem tão bem? Não é o que minha avó diz, mas...

– Bernardo??? Nossa, como você está diferente!

Eu poderia dizer o que naquela situação? Tinha que ser sincera. Todo sorridente, ele respondeu:

– Você também! Cresceu! Tá bonita!!!

Que vergonha! Eu? Bonita? Só o Bernardo para dizer isso! *Vai ver ele não mudou tanto assim.* Ele continuou falando comigo como se tivéssemos nos encontrado no dia anterior.

– Sabe, Sofia, me lembrei muito de você no ano em que morei fora!

– Lembrou? – perguntei, meio furiosa até, afinal, ele nunca mais havia falado comigo.

– As coisas que a gente conversava! Você é uma menina muito inteligente, sabia?

– Obrigada pelo inteligente, mas prefiro esperar o resultado das provas – disse eu rindo da bobagem que tinha acabado de falar.

Ele não riu, é claro, e continuou:

– Tudo que você falou sobre como agir com a sua irmã. De boa, as dicas que você me deu: que eu não podia me abrir tanto, que tinha que ter mistério, conquista, que eu precisava fingir que não gostava dela, para ela gostar de mim, fazer alguma coisa que ela admirasse... Isso tudo era muito confuso para mim. Eu achava que se levasse flores, comprasse presentes, que se falasse o que eu sentia, ela ia gostar de mim. Era babaquice, mas eu acreditava que isso era o certo. Bom... quero dizer que você é que estava certa! Agindo daquele jeito ela nunca ficaria comigo.

Eu não sabia o que falar e fiquei muda! O Bernardo estava agindo daquele jeito na escola porque eu o havia orientado assim. E o mais incrível é que tava dando certo. Será que o Bernardo desconfiava que a minha irmã estava caidinha por ele?

Na hora, fiquei completamente perdida, sem saber se contava que tinha dado certo. Não sabia se ele queria se vingar da minha irmã e fazer a "megera" sofrer. Ainda bem que ele não calava a boca me contando tudo sobre seu tempo em Nova York.

— Sofia, eu tenho que te pedir desculpas por não ter te enviado mais mensagens. Foi muito grosseiro da minha parte. Mas me lembrei muito de você! Foi incrível morar um ano em Nova York. É uma cidade que você precisa conhecer.

— É verdade, minha avó adora. Ela já foi muitas vezes pra lá.

— Sua avó viaja bastante, né, Sofi? Eu me lembro, você falava muito dela. Ela tá de boa?

— Chegou semana passada de Paris! Ela foi comissária de bordo há muitos anos, e meu avô era piloto! Eles conhecem muitos lugares e continuam conhecendo até hoje!

— Viajar é a melhor coisa do mundo! Você não tem noção do quanto aprendi, do que eu vi nesse ano! Estar em Nova York é como estar dentro de um filme. Tudo acaba virando um grande cenário, e a gente se sente fazendo parte dele. Eu também conheci os estúdios de TV e cinema em Los Angeles. Se eu já gostava de filmes e séries, hoje gosto mais ainda.

Conhecer Nova York é um dos meus sonhos. Imaginem morar lá, que nem o Bernardo? Na verdade, parece que já conheço e sei tudo sobre essa cidade só de pesquisar na internet. Não deixei de comentar com ele:

— A minha avó prometeu me levar pra lá neste ano.

— Ótimo, conta comigo! Vou passar as dicas.

Bernardo deu uma piscadinha e saiu com o seu *skate*, como se tivéssemos nos falado todos os dias no ano em que ele morou fora.

Quando cheguei em casa, ouvi gritos e fiquei assustada! Logo percebi que era minha mãe discutindo com meu pai. Ela estava realmente furiosa! O que poderia ter acontecido para minha mãe ficar daquele jeito? Só poderia ser o fim do casamento, e minha mãe deveria estar expulsando o meu pai de casa. Eles me viram entrar, e eu fiquei ali parada com os dois me olhando. Então, tive que perguntar:

– O que aconteceu, mãe? Por que esses gritos todos?

– Seu pai se esqueceu de guardar as coisas que comprei no supermercado! Saí para fazer as unhas, hidratar meu cabelo, me cuidar, coisa que não faço há séculos... – sem pausa para respirar, ela continuou: – É sempre assim aqui em casa! Tudo comigo!!! Só pedi uma ajuda!!! Uma ajuda simples!!! Seu "querido" pai simplesmente esqueceu!!! Tento aliviar minha cabeça, mas sem ajuda é difícil! Está tudo no mesmo lugar e tudo estragado!!! Carne, presunto, iogurte, leite...

Agora, sim, Dona Beatriz deu uma longa pausa, respirou fundo e deu o veredito:

– Hoje não tem jantar. Se vocês quiserem, tem pão. E sem presunto!!! Sem falar no prejuízo. Joguei dinheiro fora! Vou tomar um banho!!!

Dona Beatriz saiu com seus passos largos atropelando tudo que estivesse na sua frente! Eu e meu pai ficamos ali, olhando todo aquele "espetáculo". Quando ela bateu a porta do quarto, ele disse:

– Eu a convidei para jantar, já que o erro foi meu. Sabe o que ela disse?

– O quê, pai?

– Com que dinheiro, André???

Meu pai disse que tentou argumentar, que poderiam sair para comer, nem que fosse um cachorro-quente, mas a fúria da minha mãe não passou. E, para completar, ele me disse:

– Sua mãe não está fácil, Sofi! Não sei o que está acontecendo. Estou tentando tudo o que posso. Tenho paciência, não discuto, fico na minha, mas não adianta.

Quando vi, eu já estava falando:

– Talvez seja este o problema, pai: não fazer nada. Ficar quieto. Tem horas que a gente tem que falar, tem que discutir. Isto é o que minha avó sempre fala: "Mais vale um fim com pavor do que um pavor sem fim".

Como já narrei, falo pouco, mas quando falo eu vou fundo...

Quem nos surpreendeu, porém, foi a Ana, que estava deitada no sofá fingindo que olhava o celular. No mesmo tom de voz da minha mãe, ela falou:

– Pai, tá na cara que a mãe não tá feliz! Deve ter um motivo, né? Você tem que dar atenção pra ela! Levá-la para um jantar especial! Vai ver você está dando atenção para a pessoa errada...

Ele nos olhou como se tivéssemos falado a maior besteira do mundo. E tentou argumentar:

– Se dou uma chance para sua mãe reclamar, não trabalho mais! Ficaria o dia todo escutando só reclamações. Então deixo que fale! Tudo o que ela diz entra por um ouvido e sai pelo outro. Não absorvo nada. Mulheres... Até vocês duas agora... Eu mereço!

– Credo, pai!!! Que insensível você é! – falei muito decepcionada.

– Que antiquado você é! – disse Ana.

– Eu não aguento mais esses chiliques da sua mãe! E agora, pelo que percebo, vocês também dão chilique.

Terminou de dizer isso e saiu porta afora furioso, ou magoado, ou os dois, nunca vou saber... Se não entendo a minha cabeça, imaginem a de um homem.

Eu realmente não compreendo os adultos. E o pior é que nem eles se entendem! A minha mãe quer discutir, o meu pai, não. O que custa cada um ceder um pouco?

Não sei onde essa história vai parar, mas a coisa não está nada bem aqui em casa. Não precisa ter muita experiência ou lindas ruguinhas como a minha avó para saber disso.

Só lendo para fugir da minha realidade

Minha avó sempre diz que, para escrever bem, tem que ler muito.

— Sofia, ler é viajar sem sair do lugar! É bom para tudo! Criatividade! Saber conversar! Ter histórias para contar! A gente está sempre no lucro, porque vive mais! Eu não seria o que sou hoje sem os livros. Mudei de ideia muitas vezes depois de algo que li; consegui enxergar a opinião do outro e ter respeito por ela. Tantas histórias de amor, amizade, luta. E sempre torço para um final feliz, não nego – concluiu ela rindo.

Bonito isso que a minha avó falou. Eu também adoro viajar nas histórias, pois me sinto como os personagens. Choro, sofro e fico curiosa para saber o que vai acontecer. Os personagens fazem parte da minha vida! Fazem mesmo! Chego a decorar as falas e usá-las quando preciso. Claro que falo do meu jeito!

Os conselhos que dei ao Bernardo eram todos de um livro que li. A protagonista era muito parecida com a minha irmã. E, pelo que estou vendo, está funcionando! Sempre observei que a história fica boa quando se tem um conflito. Sem conflito não há história! Só que, quando o conflito está dentro da sua casa, aí tudo é mais complicado. Saudade da ficção.

Será que minha mãe e meu pai vão ter um final feliz? Será que essas brigas vão acontecer para sempre? Como os pais do João, que brigam o tempo todo e não se separam por causa da casa? Sim, o João me disse que seus pais não se separam porque não têm dinheiro. Se eles se separarem, terão que vender a casa. Cada um precisaria morar numa casa menor.

Não consigo imaginar duas pessoas que não se gostam terem que ficar juntas por causa de uma casa. Também não consigo me imaginar na situação da Cami, em que os pais são separados. A Cami disse que agora se acostumou, mas no início era muito difícil ter duas casas, precisar dividir tudo. Nunca sabia se as coisas dela estavam na casa da mãe ou na casa do pai, por isso não podia trocar de jeito nenhum os dias em que prometia ficar com cada um deles. Sem falar que era um inferno um falando mal do outro, o tempo todo, para a filha.

No fundo, a Camila tinha medo de virar um pombo-correio dos dois. Ou virar uma fofoqueira mesmo. Hoje ela disse que aprendeu: fica quieta quando eles começam a falar mal um do outro. Aí eles param. Não comenta nada do que acontece na casa da mãe para o pai, e vice-versa.

O que ela mais sente falta é de reunir os dois, nem que fosse num jantar ou nos aniversários. Ela não consegue ter os dois juntos nunca, porque eles não se suportam, mas também disse que antes, quando eram casados, também estava horrível, porque brigavam muito.

A Ana me contou que o pai de uma amiga, quando se separou, se esqueceu completamente dela. Só cuidava dos filhos do novo casamento. Vai entender esses adultos!?

Como não criar demônios na minha cabeça? Também sei de casos com final feliz. E se os meus pais se separem e se tornarem mais felizes? Porque agora, com certeza, eles não são felizes. Uma separação sempre vai ser traumática, não tem jeito, mas depois as coisas vão se acertando (assim espero).

Enfim, não é fácil, e os adultos complicam. Para mim, filho é filho e vai estar sempre com você. Eu penso assim: os indivíduos se casam e devem estar apaixonados (geralmente, as pessoas se casam porque se amam), mas alguma coisa acontece, os dois mudam e não querem mais estar casados. Isso acontece. Mas não é possível se separar de um filho. Filho é pra sempre! É tão difícil entender isso?

Aqui em casa está bem parecido com a casa da Cami. Na verdade, é terrível ver nossos pais brigando. Eu sei que se deve brigar por aquilo que se quer, mas não o tempo todo. Isso faz muito mal para todo mundo.

Eu brigava muito com a Ana. Agora ela está toda minha amiga, me ouve, pede conselhos – e tenho que admitir que é muito melhor assim. Por que nossos pais tiveram que passar por essa crise no casamento para a gente se unir? Será que sempre tem que ter um problema?

A minha avó diz que precisamos saber lidar com os problemas: "Resolver é a única saída, então não reclame e faça o que for possível para resolver". Esse pensamento simples da minha avó resume muita coisa. Parece que assim fica mais fácil, mais direto. Se tenho problemas, preciso resolvê-los. Tudo vai depender de como farei isso.

Cheguei à conclusão de que meu pai saiu furioso comigo, mas não vou desistir de ajudar. Farei de tudo para descobrir o que está acontecendo com ele e a minha mãe.

Será que ela descobriu essas conversas dele com a mulher da foto? Eu morro de vergonha de perguntar. Não sei se é certo. Também não é correto esconder as coisas de uma mãe. Mas vou falar o quê? Não tenho certeza de nada. Posso criar a maior confusão.

Depois do furacão todo feito pela minha mãe, ela deve ter percebido o silêncio que ficou em casa e desconfiou. Resolveu sair do quarto e foi direto para o meu. Eu gelei quando ela pediu para entrar. Não sei o porquê, mas não tive um pressentimento bom. A qualquer momento, ela poderia me dizer que iria se separar, e eu não queria escutar isso. Precisava de mais tempo para unir os dois. Ela entrou e fez a pergunta óbvia:

– Sofia, onde está seu pai???

– Não sei, mãe! Depois da sua fúria, ele saiu e não disse para onde ia. Também saiu furioso.

– Fúria, Sofia? – ela me fuzilou com o olhar. – Você sempre do lado do seu pai, né? Aproveita a sua infância. Na juventude tudo se resolve na manhã seguinte ou até no mesmo dia. Depois que a gente fica velha, tudo muda – e suspirou. – Não é nada fácil ficar velha.

Velhaaaa? De quem ela está falando, *Dios mio*? Ela já ia fechar a porta quando eu perdi a chance de ficar quieta. Queria continuar nossa conversa. Como assim velha?

– Mãe, posso falar só mais uma coisa com você?

– O que foi, Sofia?

Não sei o que me deu, acho que fiquei nervosa. Como uma filha fica nervosa com a própria mãe? Não tive coragem de perguntar o que eu realmente queria.

– Deixa, mãe, pode ser depois.

Claro que agora ela queria saber, e não dava para voltar atrás.

– O que foi, Sofia? Fala logo!!!

Gaguejei e inventei que o meu caderno tinha terminado e precisava de outro. Me ralei por completo.

– Eu sabia que era para pedir alguma coisa. Sofia, você deve estar desenhando nos seus cadernos! Eu gostaria de saber o que você escreve tanto. Acabei de comprar um caderno pra você!

Minha mãe discursou mais um pouco, mas disse que me compraria na manhã seguinte.

Por que não tive coragem de falar? Fiquei muito furiosa comigo mesma. Eu só queria perguntar o que disse para o meu pai perguntar pra ela. Mas não tive coragem. Eu só gostaria de saber por que minha mãe estava agindo desse jeito.

Ela está muito diferente, sempre furiosa com alguma coisa. Tá na cara que ela não está feliz. Como assim velha? Ser velha é o máximo! Como ela não consegue se imaginar como a minha avó?, pensei.

Minha mãe sempre foi de assumir toda a responsabilidade. E quando pede para alguém fazer alguma coisa, nunca está bom.

Onde está aquela mãe que brincava comigo? Que lia histórias antes de dormir?

Balé dos horrores

Fim de semana em casa! Com todas as maquiagens da minha mãe só para mim, estava praticando a arte de me sentir bonita, desenhando as ruguinhas da minha avó no meu rosto. Assim me sinto mais forte. Com "as ruguinhas do poder", parece que fico mais pertinho da sabedoria da minha avó.

De repente, quem entrou no banheiro? Quase caí do banquinho em que subi para me ver melhor no espelho. Adivinharam de novo? Sim... Dona Beatriz, impecável, com o seu rosto que parecia ter sido ativado por filtros, os mesmos que minha irmã usa no Instagram. Ela estava muito elegante, cheirosa, vestindo uma roupa clássica. Daquela vez, já foi rolando a bronca normal:

– Para de desenhar essas rugas horrorosas no rosto, minha filha! O que eu fiz para ter uma filha tão desligada? Se ainda estivesse passando um batom, usando a maquiagem como deveria, mas não... Duvido que você pensará assim quando estiver com a minha idade.

Tentei argumentar novamente que me achava bonita assim, mas não teve jeito. Era o dia da apresentação de balé da Ana, e nós, com certeza, estávamos atrasadas.

Minha mãe não me deixou falar, já foi lavando meu rosto e colocando o vestido que mais odeio, que ela insiste em dizer que me deixa linda. Ele é rosa, cheio de babados, enfeites, fico parecendo uma árvore de Natal de *shopping center*.

Pra completar minha desilusão com o meu figurino, minha avó chegou toda linda com um vestido incrível. Vocês podem até achar exagero meu, mas minha avó brilha naturalmente. Não é por acaso que de todos os desenhos que faço dela saem luzes. Os olhos dela, com suas ruguinhas que parecem raios, só reforçam sua expressão.

Meu momento de admiração por minha avó logo foi interrompido pela ligação que minha mãe fez para meu pai.

– André, você se esqueceu da apresentação de balé da sua filha? Por onde você anda?

Minha mãe praticamente desligou o telefone na cara dele.

Entramos no carro, e Dona Beatriz foi o caminho todo reclamando para minha avó. Falou horrores do meu pai. Eu peguei um livro e fiz de conta que não escutava nada.

Minha avó tentou um diálogo, dar conselhos, mas minha mãe estava fazendo um monólogo. Pelo que eu entendi, pegava muito mal para minha mãe chegar sozinha ao teatro.

– Para que tenho um marido? – ela se questionava. – Sempre estou sozinha! O André não comprou a roupa do balé. Não trouxe a Ana para os ensaios. Não passou confiança para a filha. O André só tinha que chegar no horário, assistir à filha e aplaudir, mas nem isso ele faz.

Minha avó tentou explicar que nem sempre tudo é tão perfeito como a gente imagina. As coisas são com são. Pode ter acontecido um imprevisto com ele.

– Esse momento é da Ana, e nós estamos com ela. Vamos aproveitar o momento como ele se apresenta, e não como imaginamos que deveria ser.

Minha mãe ficou mais furiosa ainda por não ter o apoio que "imaginava" da minha avó.

Quando chegamos ao teatro, Dona Beatriz não conseguia prestar atenção na performance da minha irmã. Estava vidrada no celular esperando um sinal de vida do meu pai. Eu segui o conselho da Dona Anita. Agora vocês entendem por que quero ter as rugas da sabedoria? Minha avó estava certa, o momento estava lindo, a Ana brilhou.

Todo o esforço e dedicação da minha mãe para a apresentação da Ana estava dando resultado. Mas minha mãe infelizmente não viu nada, só se preocupando com o que as pessoas estavam pensando, se é que estavam, sobre o meu pai não estar lá.

Quase fechando as cortinas, Seu André finalmente chegou. Minha mãe olhou para ele com aquele olhar que me dá arrepios só de pensar.

No fim da apresentação, fomos até o camarim cumprimentar a Ana, que nos apresentou a uma nova amiga, Gisele. A Ana estava muito feliz, queria sair para jantar com as amigas do balé. Ao fundo estava o Bernardo. Ele não me viu, mas eu vi que ele conversava com a Gisele. Todos estavam falando com ela, lhe dando os parabéns, pois foi a bailarina principal do espetáculo.

Minha mãe não queria que a Ana saísse com os colegas para comemorar, porque tinha aula no outro dia, mas meu pai insistiu. E, para não discutir na frente dos outros, minha mãe acabou autorizando.

Na volta para casa, minha mãe não parou de falar da tal nova amiga da Ana: que era muito linda, magra, de uma beleza encantadora, parecia uma boneca. Concluiu que a Ana tinha que se cuidar mais, pois agora teria uma concorrente forte.

Chegamos em casa e minha avó, para minha felicidade, ficou um pouco mais comigo. Quando fui mostrar um vídeo no YouTube para ela, entrou uma foto da Ana no Instagram. Dona Anita quase não reconheceu a própria neta, de tanto filtro que a minha irmã colocou na imagem.

Perguntei para minha avó se ela realmente tinha achado a Gisele mais bonita que minha irmã. Dona Anita me respondeu novamente (eu já devia ter aprendido) que a verdadeira beleza está dentro da gente. Minha avó não conheceu essa menina o suficiente para saber se ela é realmente bonita. Aproveitei o momento e fiz outra pergunta:

— Por que as pessoas, as mulheres principalmente, se preocupam tanto com a forma física? Sempre foi assim? Eu vejo que todas querem ficar, na vida real, iguais às fotos do Instagram, sem rugas, sem marcas. Todas precisam ter a mesma pele, o mesmo nariz, a mesma boca, que, aliás, tem que ser grande e carnuda.

Minha avó riu e fez aquele beicinho que todas as meninas fazem para tirar foto. Rimos, mas minha cabeça não parava de pensar nisso tudo.

Quando minha avó foi me responder, perguntei o que mais me atormentava:

— Minha mãe está feia? Por isso o meu pai não gosta mais dela?

— Sua mãe é linda! Do jeito que a Beatriz fala, você até pode pensar isso mesmo. Às vezes é mais fácil culpar uns quilinhos a mais, umas ruguinhas, o passado, do que olhar para o que realmente importa.

— Vó, bem que poderia ter um espelho para a gente ver o interior, né?

Minha avó deu uma gargalhada! Adorou o meu resumo de vida.

– Vamos criar o espelho interior! – ela sugeriu. – Sem filtros do Instagram.

Sendo eu a maior fã dela, já fui complementando seu pensamento:

– Você sempre pensou "fora da caixa", né, vó?

Minha avó riu, porque essa expressão eu também aprendi com ela. Significa pensar diferente dos outros.

Enquanto eu e minha avó tínhamos altos papos, ouvíamos ao fundo meu pai e minha mãe brigarem. Percebi que minha avó estava me protegendo para não escutar o que meus pais falavam, então me abracei nela e dormi nos seus braços.

No outro dia, no café da manhã, tive duas surpresas: uma boa e uma ruim. Sempre quando isso acontece, as pessoas perguntam: "Quer saber a boa ou a ruim primeiro?".

Nunca entendi que diferença isso faz. A vida é assim, sempre vai ter o lado bom e o lado ruim. A gente só sabe o que é bom se souber o que é ruim. Mas, por mais que eu sempre veja o lado bom, naquele dia o mais forte foi o ruim.

Então, resumindo: o lado bom é que minha avó dormiu na minha casa. O lado ruim é que, percebendo que alguma coisa muito pesada iria acontecer, ela sentiu que precisava estar por perto.

Pois, então, minha mãe estava bem diferente do dia anterior. Na real, bem diferente de todos os dias. Estava sem maquiagem, com olheiras, descabelada e com um olhar estranho, fixado num só lugar. Era algo bem assustador, como se ela não estivesse ali. Somente seu corpo estava.

Minha irmã, que havia saído com as amigas do balé após sua apresentação, chegou tão empolgada com as novidades que nem percebeu que minha mãe não estava legal.

– Mãe, eu já decidi o que quero de aniversário!

O aniversário da Ana estava próximo, e logo ela foi falando o que desejava. Para minha surpresa, ela disse que queria uma cirurgia plástica. Iria colocar silicone e eliminar gordura do abdômen. Não demorou muito para percebermos que a referência do pedido tinha a ver com a tal Gisele. Estávamos realmente em um mundo louco. Só se falava em beleza, envelhecimento – e não havia idade pra isso. Ana estava pirando, e eu, me achando muito estranha...

Minha avó ficou chocada e tentou argumentar com minha irmã, dizendo que nenhuma adolescente deve se submeter a procedimentos estéticos. Ela deveria usar esse dinheiro para fazer uma viagem. Disse que minha irmã é linda do jeito que é.

Dora, nossa diarista, estava dando aquela geral na casa e percebeu que meu pai não tinha tomado café. Perguntou, então, se podia retirar o lugar dele na mesa.

Eu adoro a Dora. Ela é sempre divertida, faz umas comidas deliciosas e curte uma música alta. Sempre que arruma a nossa casa, coloca uma música e me convida para dançar. Aprendi a dançar *funk* com ela.

A Dora sempre tem uma história para contar e já foi interferindo na conversa, depois do que a Ana falou:

– Não entendo essa doideira da mulherada em perder peso. Todo mundo sabe que os homens preferem as mulheres com curvas. Como eu! Sinto muito, mas eu sou um sucesso. Vocês é que não sabem! Não quero humilhar – falou isso e deu uma gargalhada, totalmente segura do que falava. E acrescentou: – Ana, come essa tapioca de banana com leite condensado que eu fiz! Pega uns quilinhos que logo, logo você arranja um namorado.

Minha avó não deixou por menos:

– Dora, quem tem que gostar do próprio corpo são as mulheres, e não os companheiros, namorados e pretendentes.

Com o argumento da minha avó, Ana complementou:

– Então, vó, eu não gosto do meu corpo assim! Tenho o direito de mudar.

Minha mãe, que estava naquele transe, acordou repentinamente e disse que a Ana estava certa! E uma grande discussão, então, foi iniciada. No meio disso tudo, minha mãe soltou a bomba:

– Se depender de mim, a Ana fará o que for preciso para ficar bonita e não ser descartada como eu acabei de ser pelo André, depois de vinte anos de casamento, porque envelheci.

Confusa, minha irmã perguntou o que nossa mãe quis dizer com isso.

– É isso mesmo que você entendeu, minha filha! Eu e seu pai estamos separados. A partir de hoje, ele não entra mais nesta casa. Ontem ele me confessou que está apaixonado por outra mulher. O André não me contou, mas tenho certeza de que essa mulher é mais jovem que eu. Os homens são assim... quando envelhecemos, somos trocadas, simples assim, como um objeto. Você está certa, Ana, tem que se cuidar mesmo, coisa que não fiz. Se eu já tivesse feito uma plástica e cuidado do meu corpo... Mas não! Meu problema é sempre pensar nos outros primeiro. Olha o que aconteceu. Estou sozinha e sem emprego! Sempre pensei primeiro no seu pai, na organização da vida dele, na vida de vocês, e me esqueci de mim. Isso não vai acontecer com vocês, minhas filhas, aprendam com os meus erros.

O filme da minha vida

Eu sei que tenho apenas dez anos, mas a minha vida já poderia virar um filme. Não seria um curta, pela idade, porque já vi tanta coisa em volta... O meu *blog* secreto é a minha salvação para entender esse mundo confuso em que vivo.

Depois da tempestade do café da manhã, nossa avó nos levou para a escola. Dona Anita é uma querida, não parou de falar, tentando argumentar que "se" os nossos pais se separassem (colocou um "se", esse "se" que minha mãe deixou bem claro que não existia), eles ainda continuariam nos amando do mesmo jeito. Os casamentos acabam, isso é normal, mas pais são para sempre.

— Vó, a maioria dos meus colegas tem os pais separados. Ninguém morre por causa disso, né, Sofia? — Ana não parecia estar abalada. — As pessoas mudaram, vó. A mãe tá certa e vai me ajudar.

Minha avó foi muito direta com ela:

– Ana, eu ainda não engoli essa história de plástica. Você só opera no dia em que eu morrer. Desiste disso.

Ana só revirou os olhos, tipo: "Velhos...".

Tudo que eu estava admirando na Ana acabou depois dessa amiga nova. A beleza da Gisele despertou na minha irmã um lado obscuro que ela tinha, mas estava adormecido. Uma competição de beleza. Eram "amigas" aparentemente, mas no fundo se odiavam. Levando em consideração o momento daquela casa, digamos que era a "tempestade perfeita".

O carro da minha avó andando... as coisas passando numa velocidade acima do que eu poderia acompanhar. Aquela conversa no café da manhã... *Isso realmente está acontecendo comigo?* Quando iria dar um "*stop*" nesse filme? Quando é possível mudar para uma comédia romântica? Meu "perfil" estava marcado pra ser aquela confusão toda. A "doideira", como disse nossa diarista. Acho que, além de fazer uma tapioca maravilhosa, ela entendia mais o ser humano que minha mãe e minha irmã.

A Ana desceu do carro como em qualquer outro dia normal da sua vida. Logo encontrou as amigas e saiu conversando. Estava mais feliz com a autorização de fazer a plástica do que triste com a separação dos nossos pais.

Fui me despedir da minha avó com um abraço e não consegui segurar o choro. Eu realmente estava muito assustada com tudo isso. Minha vida era um filme de terror, medo e insegurança. Comédia romântica não estava no meu perfil.

Minha avó simplesmente me raptou da escola. Não me deixou sair de dentro do carro. Quando decide alguma coisa, Dona

Anita não tem jeito. Melhor obedecer. Disse que depois se entenderia com a minha professora.

– Hoje o dia será nosso.

Minha avó não existe mesmo! Ela sentiu que não poderia me deixar entrar na escola.

Tentei falar com minha avó sobre o que estava acontecendo com os meus pais. Precisava entender o porquê de tudo isso. Quando a gente cresce, tudo fica complicado? A velhice é a culpada dos problemas? Será que vou pensar como minha mãe quando crescer?

Quero ser como minha avó, disso eu tenho certeza! Mas e no futuro? Será que vou ser abduzida por esses pensamentos? Por isso escrevo tanto. Meu *blog* secreto é o meu manuscrito para não me esquecer de tudo que minha avó me ensina.

No dia do anúncio da separação dos meus pais, minha avó me levou ao *shopping center*. Vimos um filme, o que me ajudou a entrar em outros mundos. Era uma bela comédia açucarada em que a vida se resolvia no final feliz. Isso era tudo de que eu mais precisava: sair do meu mundo. Depois minha avó me levou num parque de diversões. Viver a adrenalina da montanha-russa! Que frio na barriga! Que medo! Minha avó me disse:

– Quanto mais medo você tiver da montanha-russa, mais medo você vai sentir. Parece óbvio, mas não é. Tente entrar na montanha-russa com leveza, pense que tudo isso é para ser divertido. Transforme o medo em diversão. A cada descida, pense que está voando, e não caindo. Isso faz toda a diferença.

A lição ou sensação da montanha-russa vou levar para minha vida toda!

Eu realmente me diverti. Não senti medo! Eu voei... Claro que dei uns gritinhos, mas de emoção, não de tensão.

Entendi o que minha avó queria me dizer sobre a montanha-russa em que a minha vida havia se transformado. Mesmo com medo, a gente tem que tentar tirar algo bom de tudo.

Ouvindo o silêncio

Há uma semana que não vejo meu pai. Ele realmente não colocou "os pés aqui dentro de casa", como disse minha mãe.

A raiva ainda estava muito presente, ou seria tristeza? Ou culpa? Quase ninguém falava. Por um lado, não tinha briga, mas, por outro, o pouco que falávamos era meio mecânico. Tudo ficou tenso, silencioso e triste. Eu tentava falar alguma coisa, tipo, puxar um assunto, contar uma piada, mas nada dava certo.

Mandava mensagens para o meu pai e ele só respondia que isso iria passar e que logo, logo conversaria com a gente. Onde ele estava? Será que sozinho? *Como meu pai vai ficar sozinho?* Como eu gostaria de ter aprendido a gostar de futebol pra conversar com ele naquela hora. Falar dos comentários pós-jogo (que eu, minha irmã e minha mãe detestávamos).

Minha mãe estava com a gente, mas parecia que não estava. Fui até o quarto dela, de onde ela não saía. Parei na porta, mas ela não me viu. Fiquei ali quietinha, vendo-a se olhar no espelho de sua cômoda, lugar do quarto em que ela sempre gostou de se maquiar. Naquele momento raro, ela estava sem maquiagem, se olhava profundamente e fazia movimentos com as mãos como se tentasse levantar o rosto, esticando as poucas rugas com os dedos. Eu não consegui ficar em silêncio:

– Você é linda, mãe!

Ela sutilmente me olhou e uma lágrima escorreu no seu rosto. Fui até ela e dei um abraço bem forte.

Na semana em que minha mãe ficou trancada no quarto, minha avó e a Dora assumiram o controle. O meu pai? Ele estava em algum lugar, mas nós não sabíamos onde.

Quando minha mãe saía do quarto, parecia um zumbi, mas um zumbi que chora... Conseguem imaginar? Dona Beatriz estava comendo e de repente chorava; ia ver televisão e do nada chorava.

Minha avó só olhava para a Dora, um olhar que não sei explicar direito. Tipo: "Entendemos, é assim mesmo". Eu não entendia e ficava muito triste.

Minha avó tentava de tudo para me animar. Muita sorte ter Dona Anita nas nossas vidas. Não canso de repetir isso.

Fui à escola, vi filmes com minha avó, lemos e fizemos bolos deliciosos. Naquela semana, o que me fez esquecer um pouco dos problemas dos meus pais foi aprender a cozinhar com minha avó e a dançar *funk* com a Dora. Mulheres incríveis, cuidando de uma outra mulher incrível. Quem sabe, depois de ficar encapsulada no quarto, minha mãe sairia do casulo uma borboleta?

A Ana só falava escondido comigo sobre o Bernardo, que estava ocupando a sua cabeça e seu corpo. Eu percebi que ela não se alimentava direito naqueles dias. A Ana não provou nada das comidas maravilhosas que minha avó fez. Ninguém percebeu, porque ela dava tudo para a Mel, nossa cachorra, que passou a ser cúmplice de um crime. Como só eu vi, fui falar com a Ana.

– Eu preciso estar mais magra para ficar tão bonita quanto a Gisele. Se não fosse ela, o Bernardo já estaria comigo.

Eu fiquei na minha. Já tinha sofrimento demais naquela casa, e não quis criar mais conflito, mas, na minha opinião, aquilo que a Ana estava fazendo não era certo. Eu já tinha ódio da tal Gisele.

Será que o Bernardo gostava mesmo da Gisele? E a Gisele? Será que gostava do Bernardo? *Se eles se gostam, por que não estão namorando?*, eu pensava. *Talvez a Gisele tenha percebido que minha irmã gosta do Bernardo e, para não perder a amizade, não fala nada.* Eram muitas conspirações para a minha cabeça. *Sou uma idiota de dez anos ou uma adulta de dez anos?*

Que confusão isso tudo! Minha mãe havia dito que estava feia e velha, por isso meu pai não gostava mais dela. A Ana tinha que ficar magra para o Bernardo gostar dela...

Fim de semana chegou! Fui para a casa dos meus avós, e a Ana foi para a casa de uma amiga. Minha mãe? Bom, minha mãe não queria encontrar ninguém, nem ela mesma.

Amooo ficar com meus avós. Meu avô é um gênio. Aprendo muito com ele. Histórias do mundo e as que ele viveu. Realmente, não vejo o tempo passar quando o vô estuda comigo. Ele me explicou tudo sobre o Egito antigo. Cleópatra, a rainha do Egito, entendia tudo sobre cosméticos e tinha os homens caídos aos seus pés. Ela mesma inventava seus produtos de beleza. Deveria funcionar, porque sua fama é grande. Talvez a minha mãe esteja certa mesmo. Até no Egito antigo as mulheres tinham que se embelezar para conquistar os homens. Será que essa é realmente a prioridade das mulheres? Não consigo aceitar. Cleópatra é conhecida pela sua vaidade e beleza. Depois é que vem a combinação de determinação e inteligência. Será que essa ordem está certa? Não deveria ser ao contrário?

Assim que terminei de estudar, fui correndo contar essas curiosidades para minha avó. Foi aí que vi minha mãe chorando, dizendo para ela:

— Você sabe que não e fácil, mãe!

Escutar as conversas dos adultos é mais forte que tudo na minha vida, me sinto uma antena. Quando percebo, já estou com os meus ouvidos captando tudo. Entender é outra coisa. Os adultos complicam demais. Minha mãe não parava de chorar e falar:

— O André vivia distante, dizia que era o trabalho, por isso não tinha mais tempo para a gente. Não é verdade. Eu sinto que ele evitava ficar perto de mim, sabe? Diz que tentou mil vezes discutir sobre o nosso casamento e que eu fugia.

Minha avó só olhava para minha mãe, sem falar nada, porque minha mãe só queria desabafar ou gritar para o mundo o que sentia. Dona Beatriz precisava muito da minha avó, e então continuou:

— O André teve a cara de pau de me dizer que se sente sufocado pelas minhas cobranças. Que estou sempre preocupada em parecer perfeita, ter a família perfeita, as filhas perfeitas e o casamento perfeito. Quando ele me conheceu, eu era uma pessoa leve e divertida. Hoje, segundo ele, vivo para os outros, não para ele. Antes ele sabia que tinha o meu apoio. Agora só tem reclamações. Nunca nada tá bom. Claro que não está bom! E o sucesso profissional que ele tem hoje? Quem ajudou? Eu fico como? Quem me ajuda?

Minha mãe exigia da gente perfeição em tudo. Mas eu entendo. Ela é nossa líder, cuida da gente. Então, como um bom treinador de um time de futebol, quer o nosso melhor desempenho. Se ela explicasse isso para o meu pai, nessa linguagem de futebol, talvez ele entenderia, já que esse gosto dele ainda não mudou. Mas minha mãe não deu intervalo e passou a bola para minha avó com mais perguntas:

– Mãe, eu sei que tem alguém aí no meio. Muitas vezes a gente não quer ver, cria desculpas na nossa cabeça, mas a gente sabe. Eu sei que o André me traiu, mas ele nega até o fim. Disse que começou a gostar de conversar com uma colega de trabalho, mas que não aconteceu nada entre os dois. Será que está apaixonado por essa mulher? Provavelmente mais jovem e bonita. Eu preciso saber quem é essa mulher que destruiu o meu casamento.

Minha avó agora tinha o poder da palavra. Teria que aproveitar essa oportunidade.

– Beatriz, minha filha, o que realmente importa não é se existe ou não outra pessoa. O que importa é como vocês estão e se vão conseguir cicatrizar tudo que estão passando. Vocês já conseguiram falar, discutir. Isso já é um caminho. Você ainda quer continuar casada com o André? O importante é estar feliz, se ouvir, perceber o que quer! Pensar em você.

Os olhos da minha mãe piscaram, com se uma imagem estivesse vindo em sua memória:

– E ser egoísta como você, mãe, que só pensou em você a vida toda!? Que me deixava sozinha enquanto ia trabalhar?

Minha avó não piscou, só respirou fundo e respondeu:

– Isso não é egoísmo, minha filha. Eu sempre me importei com você, talvez não do jeito que você queria. Você é linda, carinhosa, inteligente... Saiba que estou aqui do seu lado. O que você decidir, saiba que sua mãe está aqui.

Minha mãe mordeu os lábios, como se pensasse: *Falo ou não falo?* E falou:

– Então me ajuda a ficar mais bonita, mãe! Fica do meu lado, pelo menos neste momento! Eu vou fazer uma cirurgia plástica, e você cuida das meninas. Preciso resgatar o tempo perdido. Que ninguém nos ouça, mas eu acho que não sei mais viver sem ser esposa e mãe. Me sinto usada e jogada fora... Eu errei e preciso me refazer...

– Beatriz, você sabe minha opinião sobre isso. Não faz sentido querer se transformar por fora. Foram escolhas. Não existe certo ou errado. Você fez o que achava certo no momento. Cuidou das suas filhas! Nada a impede de retomar a sua profissão.

Minha mãe deu uma risada em tom de deboche, como se minha avó estivesse falando a maior bobagem do mundo.

– Imagina voltar ao mercado de trabalho com a minha idade? Como? Há quinze anos estou fora do mercado! Que piada! Essa sua forma de ver a vida sempre pelo lado positivo te deixa fora da realidade, mãe. Chega a ser patético. Não dá! Definitivamente, não dá para conversar com você. Você nunca ficou do meu lado, não é agora que vai ficar.

De repente, minha mãe gritou o meu nome:

– Sofiaaaaa!

Será que ela me viu? Levei um susto, achei que o meu esconderijo havia sido descoberto, mas não. Logo disfarcei e falei com a maior naturalidade, afinal, minha sobrevivência estava em jogo:

– Alguém me chamou?

– Filha, vamos para casa. No próximo fim de semana você volta.

Tentei argumentar que ainda tinha lição de casa para terminar e que o vô iria me ajudar.

Saí quase arrastada por minha mãe.

Lágrimas de chuva

Minha mãe brigou com minha avó. Naquela semana, Dona Anita não foi na nossa casa.

Eu nunca comi tanta besteira na minha vida. Tenho que confessar que no início gostei. Era sanduíche, sorvete, chocolate, *pizza*. Mas, depois do terceiro dia, hummm! Me deu uma vontade de comer uma fruta, sabe? Ou o clássico arroz e feijão. A Ana gostou porque aproveitou para não comer. Minha mãe fazia o que era possível nos intervalos em que não estava chorando.

Até que ouvimos gritos vindos do quarto da minha mãe. Era ela, que brigava por telefone com o meu pai sobre questões financeiras. Ao final da ligação, disse que, no outro dia, ele nos buscaria na escola para um almoço.

Não me contive de felicidade. Estava com saudade do meu pai e falei:

– Obaaa!

Esse "obaaa" me rendeu sérios problemas com minha mãe.

– Obaaa, Sofia? Vai lá com seu "querido" pai, que está nos deixando, que logo vai estar namorando uma mulher mais jovem e bonita e não vai mais querer saber de vocês. Aproveitem...

Não vou negar que me deu uma vontade de chorar, mas engoli o choro. Seria muita gente chorando naquela casa.

O almoço com o nosso pai foi bem estranho. Estava com muita saudade dele, mas sentia falta da minha mãe junto, mesmo que isso, geralmente, resultasse em uma briga entre eles.

No ritmo normal da minha família, Dona Beatriz não deixava meu pai falar nem decidir nada. Ela que sempre escolhia os pratos e não permitia que meu pai comesse algumas coisas. Daquela vez, porém, ele deixou a gente comer o que queria. Eu nunca tinha visto ele comer tanto e falar ao mesmo tempo.

Fazia duas semanas que estava separado da minha mãe e já tinha ganhado alguns quilinhos. Naquele dia, meu pai foi um palestrante na mesa. Falou das dificuldades do relacionamento, que ele não queria que a gente crescesse vendo eles brigarem, determinou alguns dias para nos ver – incluindo alguns fins de semana e viagens. Enfim, deixou muito claro que eles iriam mesmo se divorciar.

Meu pai nos contou que já estava vendo um novo apartamento para alugar. A Ana disse que estava tudo bem, que preferia ver nossos pais separados, mas felizes.

Eu continuava sem entender e perguntei:

– Pai, toda... quer dizer, quase todas as mulheres que envelhecem hoje em dia se separam?

Ele começou a rir.

Não quis contar nada sobre o que minha mãe fala em casa e fiz outra pergunta:

– Você acha a mamãe feia?

– Claro que não, Sofia! Sua mãe é uma mulher linda.

– Então por que vocês vão se separar?

– Porque com o passar do tempo nos tornamos pessoas muito diferentes, com pensamentos diferentes. A Beatriz não está feliz comigo. Achei melhor me afastar.

Quanto mais eu conhecia os adultos, menos eu entendia o que passava na cabeça deles. Como o meu pai podia achar a minha mãe linda e querer se separar? Minha mãe se achava velha e dizia que ele queria uma mulher mais nova. Quem entende isso???

Quando chegamos em casa, estava chovendo muito. Nosso pai apenas nos largou em frente de casa. A Ana saiu do carro correndo para não se molhar; já eu fui bem devagar para me molhar. Adoro tomar um banho de chuva. Olhei para a janela da nossa casa e vi minha mãe me observando através do vidro. A chuva na janela parecia lágrimas escorrendo. Eu estava confusa: eram lágrimas da minha mãe ou lágrimas de chuva? Quando entrei em casa, olhei para ela e percebi que estava chorando. Peguei sua mão e disse:

– Mãe! Vamos misturar suas lágrimas com as lágrimas de chuva?

Para minha surpresa, ela pegou a minha mão e fomos para o jardim da nossa casa tomar um banho de chuva juntas. Minha mãe chorava e ria ao mesmo tempo. Pulava junto comigo e misturava suas lágrimas com as lágrimas de chuva. Ela "lavou a alma", como diz minha avó.

Depois do banho de chuva, tomamos um banho bem quentinho no nosso chuveiro. Minha mãe me falou:

– Obrigada, minha filha, por me convidar para um banho de chuva! Eu adorava brincar assim quando tinha a sua idade. Por que paramos de fazer coisas que gostamos e nos fazem bem?

Pois é. Responder o que pra minha mãe? Eu já não entendia mais nada. Tudo que parecia ser uma coisa era, na verdade, outra. Era esse mundo adulto que talvez eu nunca vá entender.

A voz da sabedoria

Depois do banho de chuva, senti que minha mãe havia melhorado um pouco. Isso ajudou no clima com a Dona Anita. Minha mãe me levou até a casa dos meus avós, mas não quis entrar; apenas cumprimentou minha avó de longe.

Eu precisava de uma conversa "daquelas" com Dona Anita. Desejei, no fundo do meu coração, que minha avó não me escondesse nada.

– Vó, o que tá acontecendo? Como a gente pode ajudar a minha mãe?

– Sofia, sei que às vezes é difícil entender o que se passa na cabeça dos adultos, mas você é uma menina esperta e vai entender. Sempre disse que você tem inteligência emocional e nunca me enganei.

– Por quanto tempo a minha mãe vai ficar chorando? Eu olho para ela lavando louça e está chorando; senta no sofá e chora; vai para o quarto e chora; vê televisão e, do nada, chora! Não existe uma parte daquela casa que minha mãe não tenha molhado com suas lágrimas.

Minha vó sorriu. De certa forma, era engraçado mesmo ver ela chorando o tempo todo, e por um motivo meio estranho. Porque quando estavam juntos jamais ela derramou uma lágrima pelo meu pai, ou ele por ela.

– Eu sinto saudade do meu pai... Será que ele chora também? Não estou conseguindo estudar! Minhas colegas estão dizendo que estou diferente! Não sou assim. Antes a minha vida era tão normal, e agora tudo vai mudar.

Minha avó tinha que ter as respostas para tudo isso. Ela já passou por tanta coisa nesta vida. Ela tem experiência.

– Calma, Sofi! Onde está aquela menina que resolve tudo?

– Não sei, vó! Só quero meus pais de volta!

– Sofia, em primeiro lugar, vamos nos acalmar. Não quero continuar essa conversa assim. Vem tomar um chá comigo!

Minha avó me levou até a cozinha. Ainda bem que meu avô estava no quarto vendo televisão e não havia visto nem ouvido nada. Eu queria ficar sozinha com a minha avó. Senti que aquela conversa tinha que ser entre mulheres. Sim, eu sei que tenho dez anos, mas sou uma menina, quase uma pré-adolescente, tentando entender as mulheres da minha vida.

Eu realmente estava preocupada com a minha mãe. Nem sabia que era possível uma pessoa chorar tanto assim.

Só gostaria de ter algumas respostas:

– Meus pais não vão mais se ver? Nunca mais? Minha mãe vai ficar chorando até quando? Existe alguma possibilidade de eles não se separarem?

Minha avó respirou fundo, entre um gole de chá e outro, e começou a falar:

– Sofia, eu e seu avô viajávamos muito. Você sempre soube disso. Nos conhecemos em nossa profissão: eu era aeromoça, e ele, piloto. Nossa maior paixão sempre foi viajar, e isso nos uniu! Minha vida sempre foi muito boa, eu sempre amei a minha profissão, mas o desejo de ser mãe também era forte. Sempre fui uma mulher diferente. Minha mãe nunca quis que eu trabalhasse. Sua bisavó me dizia para arrumar um bom marido e ser uma boa esposa. Por sorte, tenho um bom marido, seu avô é o homem da minha vida. O Antônio sempre me compreendeu e me ajudou em tudo. Quando casei, minha mãe não se conteve de tanta felicidade. Ela pensava que, quando eu me casasse, iria ficar em casa, cuidando do meu marido e dos meus futuros filhos, muitos filhos, como ela teve e como ela gostaria que eu tivesse. Eu pararia com essa ideia de continuar trabalhando.

Após uma pausa, minha vó entonou outra voz para representar minha bisavó:

– "Mulher nasceu para trabalhar em casa e cuidar dos filhos."

Aquela história toda da minha avó estava me deixando ansiosa:

– Vó, a minha mãe está passando por tudo isso porque está feia? Ou... "se sente feia"?

– Calma, Sofia. Posso continuar? Se eu acelerar, você não vai compreender. O que somos hoje só se explica se analisarmos nosso passado.

– Claro, vó! Desculpa.

Muito profundo isso. Tomei meu chá de camomila para ver se ficava mais calma e prestei atenção.

– Então, eu amava meu trabalho e também queria ter filhos. O que acontece com a maioria das mulheres hoje. Isso parece muito simples, mas quando eu tinha vinte anos não era assim. A maioria das mulheres pensava como minha mãe, até porque elas não tinham muita saída. Na minha cabeça, eu poderia fazer tudo, e fiz. Tive sua mãe e, depois de ela completar seis meses, continuei trabalhando e contratei uma babá. Não pude mais trabalhar como comissária de bordo, porque com as viagens longas ficava complicado cuidar da sua mãe. E, naquela época, comissária de bordo não podia ter filhos.

Não consegui ficar calada:

— Como assim, vó? Comissária de bordo não podia ter filho?

— Naquela época, ser comissária de bordo era uma das profissões mais concorridas. Era muito difícil, existiam muitas regras: tinha que ser solteira, não ter filhos, ser alta, ter o peso proporcional à altura. Era uma profissão tão cobiçada quanto a de modelo.

Se está difícil entender o mundo de hoje, imaginem tentar entender o "daquela época", como diz minha avó.

— Então, fui dar aulas de inglês. Me destaquei e, assim, começaram a surgir convites para ser tradutora simultânea em eventos dentro e fora do Brasil. Aceitava só viagens curtas. Nessas viagens, sua mãe ficava com a minha mãe ou com minhas irmãs. Quando o seu avô ou eu chegávamos de viagem, sua mãe era a "rainha da casa". Ganhava presentes, ficávamos curtindo muito, mas na verdade ela se sentia sozinha. A Beatriz queria ter mais irmãos, como seus primos; queria ter uma mãe por perto, o tempo todo, como as outras crianças. Ela se sentia diferente e não gostava disso.

Eu, cada vez mais surpresa, perguntei:

— Mas ela não tinha orgulho de ter uma mãe diferente?

Minha avó pensou e deu aquele sorriso dela, com um olhar de profunda tristeza. Olhos tristes, com um lindo sorriso. Parece que estava lendo meus pensamentos quando disse:

— Não, Sofia, ela não tinha orgulho. Ela não tem orgulho de mim. Na época, era contraditório ser mãe e trabalhar. Trabalhar como comissária de bordo, então...

Minha avó me explicou que algumas profissões eram mais aceitas para as mulheres, como ser professora, secretária, costureira.

— Sua mãe me culpa até hoje por eu não ter parado de trabalhar. Ela diz que foi criada por babás, que nunca teve mãe. Por isso, sempre foi essa mãe presente para vocês. Agora, vocês estão crescendo e não precisam tanto da atenção dela. Isso faz parte da vida, do crescimento.

– Desculpa, vó, mas o que isso tudo tem a ver com o casamento da minha mãe?

– Tem tudo a ver! Ela achou que seria diferente de mim, que não iria trabalhar, que poderia ficar em casa cuidando de vocês. Não tenho dúvida de que Beatriz foi muito feliz. Ela tomou as decisões que achava certas. Sempre esteve correta, porque fez o que o coração dela queria. Esse cuidado que a Beatriz tem com vocês é o cuidado que ela gostaria que eu tivesse tido com ela.

– Então, vó! Por que ela não tá feliz hoje? – quis saber. Era quase com um grito de socorro!

– Hoje a pressão é ao contrário do que eu passei. A mulher deve trabalhar, ser independente.

– Então, ela tá triste porque parou de trabalhar? Não é porque se acha feia?

Minha avó arregalou os olhos e disse:

– Tenha paciência! A mulher é um ser divino e, por isso, extremamente complexo. Hoje a mulher quer ser tudo! E o melhor: pode! Na maioria dos casos, isso é uma exigência das próprias mulheres ou necessidade mesmo.

Muito concentrada, minha avó me explicou que, quando minha bisavó era jovem, a maioria das mulheres se casava muito cedo, tinha filhos e se dedicava à casa e à família. Já na época em que Dona Anita era jovem, mudou um pouquinho. As mulheres já podiam trabalhar fora, mas não era como hoje.

Minha avó acrescentou mais uma questão: até hoje, as mulheres sofrem com a exigência da sociedade de serem bonitas e jovens. Ou seja, a beleza da mulher é muito valorizada.

Demais para o meu gosto.

Dona Anita não parava de falar, e assim seguiu. Ela tinha necessidade de me contar tudo isso. Estava me passando o seu conhecimento, e aquilo era urgente.

— Os homens encaram o próprio envelhecimento muito melhor que as mulheres, porque não são cobrados por isso.

Minha avó já estava ficando furiosa com as próprias reflexões. Eu queria entender melhor e tive que cortar o raciocínio dela:

— O que é essa beleza de que você fala, vó? Para mim todas as pessoas com quem convivo são bonitas. Você, minha irmã, minha mãe, meu pai, o vô... Todos são lindos.

— Você vê a beleza... a verdadeira beleza pura. Sem preconceitos, sem filtros. Isso é o que deveria valer, mas não! Fomos criadas e moldadas para reconhecer que o "bonito" é ser magro, parecer jovem, não ter rugas, manter os dentes cada vez mais brancos, o corpo musculoso... Entenda que, mesmo que a gente até negue, pra não parecer superficial, é assim que funciona o mundo. Infelizmente.

Enquanto rolava essa conversa, a Ana certamente estava diante do espelho. Não precisava ser vidente pra saber disso. Comecei a ficar doida pensando nisso.

Minha avó parecia vidente, porque foi direto ao ponto:

— Olha a sua irmã querendo fazer plástica com quinze anos! Cada um tem a sua beleza, mas ela quer se modificar de acordo com o que a sociedade impõe. Uma garota de quinze anos... Por favor! Desculpe o pessimismo, mas tá difícil, Sofi.

— Desculpa, vó, mas o que é essa sociedade? A senhora fala tanto sobre ela, mas eu não consigo entender a quem a senhora está se referindo. Minha mãe? Minha irmã? A Soraia? Isso é a sociedade?

Minha avó riu. Acho que da minha ingenuidade.

— Hoje as mulheres conquistaram uma liberdade maior na sociedade. Antes era como expliquei, o que podiam era ter filhos e cuidar da casa. Eu fui uma das mulheres que lutaram contra isso. Foi difícil, mas isso influencia sua vida hoje. A sociedade ganhou essa liberdade. Só que, na minha opinião, as mulheres foram tão oprimidas que atualmente não sabem o que fazer com essa liberdade. Por isso queremos tudo! Podemos tudo! Mas não com imposição e obrigação.

Ela falava, mas não dizia quem era a sociedade. E então continuou:

– Ainda não chegamos a um equilíbrio. Claro que existem cada vez mais mulheres que não pretendem se casar e que querem se dedicar somente ao trabalho. Outras preferem ficar em casa cuidando dos seus filhos, como sua mãe. E há as que não estão nem aí para esse padrão de beleza. Hoje temos muitas escolhas, e talvez por isso mesmo fiquemos confusas querendo dar conta de tudo. O mais importante é que temos liberdade para sermos o que quisermos. Ainda é difícil, mas estamos evoluindo, buscando respeito, igualdade. Com certeza sua geração já está colhendo os frutos dessa luta toda!

– E a sociedade?

– A sociedade é tudo. É o conceito e o preconceito. É a mídia, é a Soraia, é o filtro da rede social, é o elogio falso e o elogio verdadeiro. Esse conjunto que nos mantém vivos para o bem e para o mal é a sociedade.

Quase me arrependi de ter perguntado. Que coisa complicada...

Depois, fiquei sabendo (a Ana me contou) que, enquanto eu conversava com minha avó, minha mãe estava no quarto falando com uma amiga. A transcrição que a Ana fez da conversa parecia uma legenda para o meu diálogo com a vó:

– Eu tô muito confusa – disse ela para a amiga. – Quero muito voltar a trabalhar porque... acho que fiz burrada em ter largado tudo, mas vou fazer o quê? Tô "velha" para o mercado profissional. (Pausa da fala da amiga cujo nome a Ana não sabia.) Claro que tô. Ninguém contrata alguém da minha idade, você sabe. Eu podia ter cuidado das meninas e continuado, mas... – ela enxugou as lágrimas novamente.

No tempo paralelo, enquanto a Ana ouvia a conversa da nossa mãe, aqui o papo seguia.

– A Beatriz só precisa entender que está tudo certo. Que tudo são experiências. Ela só precisa acreditar nela. Não tem que voltar no tempo e ficar mais jovem. Sabedoria é compreender todas as fases da vida.

E então, depois dessa sábia conclusão, quando achei que começava a entender, minha avó começou com outros títulos:

– Ela está vivendo o que chamamos de *ninho vazio*. Você e sua irmã se trancam no quarto e vivem seus mundos. Ela se sente sozinha. E agora seu pai e sua mãe têm mais tempo de se verem de novo. Parece ridículo isso, mas, quando a gente tem que se enxergar de novo, não apenas se "encontrar", começa uma nova fase. A verdade fica na nossa frente. Antes eles só olhavam para vocês e se ocupavam disso. Agora começam a olhar um no olho do outro, entende, minha querida? Pode parecer muito profundo isso, mas você sempre se interessou por temas de adultos, então é hora de entender isso.

Bem, era eu pagando por ser metida a adulta com dez anos. Naquele momento, meu avô entrou na sala e pegou o final da conversa.

– Eu passei a conviver com você todo dia depois que me aposentei.

Eu e minha avó nos olhamos surpresas.

– E não me arrependo disso nem por um segundo.

Rimos aliviadas. Meu avô entrou no meio do assunto e saiu dando opinião, do seu jeito descomplicado:

— O problema da Beatriz é que ela está se sentindo ultrapassada. Ela vai ter que se descobrir, fazer coisas de que goste.

É, era uma forma direta de ver as coisas.

— Seu pai precisa entender e ajudar, Sofia — ele seguiu. — A gente não se exige tanto, somos mais práticos. Tendo o futebol, um bate-papo com os amigos e o trabalho, tá tudo bem. Você acha que homem percebe que mulher tem celulite ou está com uma barriguinha?

Nem precisei responder. A minha avó olhou para mim, e ele continuou:

— Claro que não! É vocês, mulheres, que se preocupam com isso.

Olhei chocada para minha avó, que começou:

— Não me olha assim. As mulheres são mais complexas que os homens, nisso teu avô tem razão, mas menos, né? Não vem com machismo de que homem não presta atenção nessas coisas.

— Machismo, eu??? Vocês que não admitem que com essas coisas de beleza só vocês que se preocupam.

Pronto. O assunto estava se direcionando para um ponto que não sabia se daria bom resultado. Minha avó teve então a brilhante ideia de ir ao supermercado e me levar junto. Perguntou pro meu avô se ele queria algo, e ele respondeu:

— Um creme.

Nos olhamos.

— De barbear — completou.

Entramos no carro, e eu só pensava: *Homem é bicho básico mesmo.* Vejam só eu, a entendida no assunto.

Minha avó dirigia e continuava empolgada:

— Claro que já existem famílias em que os homens cuidam dos filhos e a mulher sai para trabalhar. Há homens que assumem a guarda dos filhos após uma separação, os que dividem tudo com as mulheres, mas ainda são poucos. E para esses novos homens existirem, só depende de você, por exemplo, Sofia.

Fiquei mais chocada. *Agora que não entendo mais nada.* Fui logo perguntando:

– Só um pouquinho, vó, para tudo. O que eu tenho a ver com os "futuros homens"?

– Digo você, mas estou me referindo a essa nova geração de homens e mulheres à qual você pertence. Se você tiver filhos ou sobrinhos, por exemplo, tem que passar essa nova educação para eles. Por que um menino não pode brincar com uma boneca? Afinal, ele vai ser um homem que vai criar, educar, junto com a sua mulher ou parceiro que escolher. Por que as meninas são direcionadas para cuidar dos filhos e da casa? Por que um menino não ganha de presente panelinhas para brincar de fazer comida?

Tudo aquilo era muito profundo para mim, e tive que separar as coisas.

– Vó, na boa, me perdoa, mas isso ainda é uma piração pra mim. Eu nem sei se "em algum século" vou casar. Só de pensar que um dia vou dar um beijo na boca já fico nervosa, então quem sabe a gente fala só da mãe? Você e ela estão na mesma *vibe*, mais fácil de entender. Não me põe no meio, vó. Não é comigo, pelo menos por enquanto, esse estresse.

Minha vó não falou nada, mas conheço seu olhar e sei que ela ficou impressionada com as minhas palavras e, ao mesmo tempo, um pouco irritada com a minha "caída fora da situação". Mas não dá, né? Daqui a pouco sou uma adulta tendo que resolver a criação de filhos que não tenho a menor ideia se terei um dia, mas gostei do que minha avó falou. Ela estava certa. Mas ainda não consigo me imaginar indo a uma festa de um amigo e levando uma boneca para ele. É uma pena, seria muito legal se isso acontecesse.

Lá em casa a ligação terminou. Ana entrou no quarto e sentou-se na cama da minha mãe. As duas se olharam. Minha mãe saiu desabafando:

— Tá tudo muito pesado, minha filha. Eu tentei ser diferente da sua avó, fazer melhor, não errar como eu pensava que ela tinha errado. Quis me dedicar a vocês, parei com o trabalho na revista, queria acompanhar de perto o crescimento das minhas filhas. E agora... seu pai foi embora, vocês logo vão também. E eu? Não consigo me encontrar. Não gosto dessa mulher que vejo no espelho.

— Eu também não gosto, mãe — disse a Ana com sinceridade.

Minha mãe sorriu e passou a mão no cabelo da Ana.

— Você é linda, minha filha.

Já estávamos no supermercado. Eu empurrava o carrinho, que estava quase vazio.

— E essa mulher com quem o meu pai está conversando? — perguntei para minha avó como se quisesse mudar de assunto.

— Não importa com quem o seu pai está conversando, pode ser uma antiga amiga, uma colega de trabalho. O que importa realmente agora é *seus pais* conversarem.

Não tinha pensado nisso, mas ela tava supercerta. Se eles não conversarem, não vão chegar a lugar nenhum. Continuo sendo filha, e eles meus pais.

— Seu pai foi lá em casa conversar comigo. Pedi que o André tentasse falar com a Beatriz. Por mais difícil que seja para qualquer homem, em algum momento, ele vai ter que encarar uma DR.

DR? Minha avó começava a falar em códigos? Encarar um doutor? Para mim, Dr. é sigla de doutor.

— DR? Como assim, vó?

— Discutir a relação!

Essa resposta eu realmente não esperava. Adulto tem até sigla para discutir a relação. Fiquei chocada! Bom, mas isso não era o meu foco naquele momento. Com ou sem código, eu tinha conseguido compreender alguma coisa. Precisava dizer isso para minha avó.

— Entendi!!! Foi o que eu falei pra ele também. Não disse com esse nome técnico, mas nesse sentido. Eles precisam conversar, discutir sobre tudo isso. Não é só minha mãe. Meu pai também precisa falar. Acho que é isso que ela espera dele. Por isso, vó, você sempre fala aquela frase: "Conversando a gente se entende".

— Sei que essa conversa é muito confusa para você. Mas aos poucos você vai entender.

— O que quero, de verdade, é ver os meus pais bem. Juntos ou separados. Acredito em você, vó! Somos uma boa dupla! Disso tenho certeza! Te amo!

Minha avó me abraçou, mas eu não tinha vergonha de falar o que sentia para ela. Eu amo "aquela senhora" mais que tudo na minha vida! E isso deve ser falado, por mais que a outra pessoa saiba.

Pegamos o creme de barbear do meu avô.

Lá em casa, Ana estava deitada abraçada na minha mãe. Começou a chover. Minha mãe olhou pela janela.

— Vamos tomar um banho de chuva, filha?

Ana olhou para fora e depois pra minha mãe.

— Não dá, mãe. Eu acabei de fazer uma chapinha no meu cabelo e...

Minha mãe sorriu (acho que de tristeza) e disse que tudo bem. Ficava para a outra chuva.

Eu e as mulheres da minha vida

A realidade é que meus pais estão separados. Ainda não sei o que vai acontecer. Eu e minha irmã vamos ficar morando com nossa mãe? Ou com o nosso pai? Ou eu e a Ana também vamos nos separar?

Eu sei que vou sentir muita falta da Ana se isso acontecer. Juro! Até das brigas e daqueles pedidos de mandona que ela faz, mas, como diz a minha avó, com suas rugas de sabedoria: é a vida.

Eu sempre escrevo "te amo" nas mensagens de Dia das Mães ou Dia dos Pais. Raramente falo ao vivo. Com minha avó é diferente, não tenho vergonha de dizer na rua, no supermercado, em qualquer lugar. É totalmente natural. É muito louco isso, não? Já pra minha irmã... nunca falei. Isso é mais louco ainda.

A Ana sempre diz que não vai ter filhos, já falou isso na frente da minha mãe, que fica furiosa com ela e tem sempre um discurso pronto:

– Ter filhos é a melhor coisa do mundo! Você vai ver quando chegar a hora. Seu corpo e seu instinto vão falar mais alto. Tudo tem o seu tempo e a sua hora. Na sua idade eu também pensava assim, Ana. Quando estava namorando seu pai, morria de medo de engravidar. – Depois, não sei como nem o porquê, simplesmente chega a hora e você sente aquela vontade de ser mãe. De ter um pedaço seu e da pessoa que você ama no mundo. Pode ser parecido ou não com você, mas é um vínculo eterno. Se eu tivesse mais dinheiro, teria mais filhos. Dá trabalho, mas sou muito feliz em ser mãe.

Eu me lembro como se fosse hoje dessas palavras da minha mãe. Na hora fiquei pensando: *Nunca iria imaginar isso dela!* Parecia que eu e minha irmã éramos um problema.

Na verdade, eu não via muito sentido no que a minha mãe dizia. Ela costuma repetir: "Filho dá muito trabalho! Não reconhece o que a gente faz!".

Deve ser complicado mesmo ter um filho. Dá para imaginar? Esperar nove meses. Minha mãe me contou que engordou vinte quilos na gestação da minha irmã! Imagina o peso? A barriga esticar tanto que parece que vai explodir! E o parto? Me desculpem, mas essa etapa eu não consigo nem imaginar.

Minha mãe falou sobre a maternidade de uma forma tão serena. Esse dia me marcou. Foi tão verdadeira. Claro, agora faz todo sentido a avó ter dito que ela está triste porque estamos crescendo e nos tornando independentes.

Minha mãe deveria agradecer por estarmos crescendo. Também acho que deveria agradecer pelas rugas chegando no seu rosto. Será que é tão difícil entender isso? Eu já disse e repito: entendo que as rugas são, em primeiro lugar, sinal de que estamos vivos; em segundo lugar, de que temos experiência. Isso quero para mim, por que ela não quer para ela?

Quero crescer e ver as rugas da minha mãe até que as minhas cheguem. Quanto ao "instinto" falar mais alto, eu fico em dúvida. Acho que posso não ouvir quando ele falar, mas não posso dizer isso para ela agora.

Se o motivo de ela estar triste é que crescemos, tá resolvido. Sempre vou depender dela. Espero que não financeiramente, mas de seu carinho e atenção.

Mãe e pai também são complicados. Querem que os filhos cresçam logo; depois, querem que eles não cresçam. Mais uma questão dos adultos que não entendo.

Esses dias, antes de o meu pai ir embora, minha mãe estava organizando um armário e encontrou muitas reportagens que ela escreveu quando trabalhava para uma revista de moda. Leu para mim em voz alta. Eu fiquei muito orgulhosa e disse que gosto de escrever por causa dela. Dona Beatriz deu um sorriso imenso e consegui ver suas ruguinhas iluminando o seu rosto.

Sabem quando eu acho minha mãe realmente linda? Quando ela está sem maquiagem, com *jeans*, chega no café da manhã e tenta contar uma piada, tenta ser moderna e fala umas palavras engraçadas.

Queria tanto minha mãe de volta. Que essa tal crise dos quarenta e poucos, síndrome do ninho vazio, DRs, separação passassem logo.

Na real, eu acho que nem a Dona Beatriz está se aguentando. Minha avó chama isso de chorar o dia inteiro de "o tempo para a dor".

Contei tudo para minha irmã, exatamente como a vó me explicou. Como para mim, também foi difícil para a Ana entender, ainda mais com mil coisas acontecendo na escola. Minha mana querida, agora nessa nova fase, concordou em dar uma atenção para nossa mãe. Foi aí que ela me contou o que já narrei antes pra vocês: o que aconteceu no quarto.

– O importante – disse ela – não é os nossos pais estarem casados, mas, sim, estarem felizes.

Eu tenho que admitir que fiquei emocionada com as palavras da minha irmã. Me deu vontade de dizer "Te amo!", mas faltou coragem!

Ana estava muito feliz! Feliz até demais, hahahaha. Eu conheço a minha irmã, essa felicidade toda não era só pela autorização da minha mãe para ela poder fazer a tal plástica. Era algo mais e tinha nome: Bernardo!

A vida é assim: felicidade gera felicidade! Tristeza gera tristeza! Dinheiro gera dinheiro! Uma coisa vai puxando a outra. Se você está feliz, quer ver os outros felizes! Se está triste, a tendência é sentir raiva de quem está feliz. Isso é química. Semelhante atrai semelhante! (Talvez a felicidade da Ana traga coisas boas para a nossa casa.)

O Bernardo estava ficando igual à minha irmã (popular na escola, todo moderninho, confiante), o que a atraiu totalmente. O problema é que também atraiu outras meninas.

Bom, pensando bem, confiante não era bem a palavra para minha irmã. Ela ficou muito estranha depois que conheceu essa nova amiga, a Gisele. Não come mais doce, só pensa em treinar na academia, passa muito mais tempo na frente do espelho analisando o corpo. E o pior: só acha defeitos que só ela vê. Agora, para completar tudo isso, foi flechada pelo cupido.

Como é engraçado ver alguém apaixonado! Essa felicidade momentânea da minha irmã foi causada por um acidente. Sim, um acidente. Ela me contou que, sem querer, o Bernardo quase a atropelou com o seu *skate* na saída da escola. Quando ela viu, já estava nos braços dele.

É ou não é engraçado ver alguém apaixonado? Ela começou a me contar, meio hipnotizada, com uma voz tranquila e em alguns momentos eufórica:

– Sofia! Parecia que eu estava sonhando. Eu não percebi que o Bê quase me atropelou. Só levei um susto, e quando vi aquele rosto lindo me olhando, com uma expressão de preocupação, querendo saber se eu estava bem... Mal pude ouvir o que ele falava, porque meu coração batia muito forte. Olhei para os olhos e a boca dele... e não pensava em outra coisa. De repente, senti um movimento forte e seguro. Ele me levantou e pediu desculpas. Eu disse que estava tudo bem. Ele saiu. Tentei fingir estar um pouco furiosa, que ali não era lugar para andar de *skate*, que poderia ter me machucado, mas minhas amigas se derreteram ao comentar: "Para de reclamar, Ana, queria eu ser segurada por esse deus. Você nunca poderia imaginar que ele, que se arrastava por você, voltaria assim. O que um ano morando no exterior não faz com uma pessoa?". Só que agora a queridinha dele é a Gisele.

– E você? Falou o que para suas "amigas". Eu, hein? Que amigas.

– Eu fiquei na minha, tentando não demostrar o que sentia, porque senão elas não largariam do meu pé. E pode ser verdade isso da Gisele, não é, Sofi? – depois de contar tudo isso, a Ana olhou no fundo dos meus olhos e suplicou: – Eu preciso ficar mais bonita que a Gisele! O que eu faço? Lembrei que ele falava com você antes da viagem para Nova York. Ele por um acaso te procurou?

Meus neurônios queimaram naquele momento! Da minha cabeça deveria sair fumaça. Eu tinha que pensar rápido. Minha avó sempre me fala que temos fases na vida. Eu realmente não queria estar na fase da minha irmã.

A Ana tem uma característica muito forte: precisa lutar por suas coisas, senão elas perdem a graça e minha irmã não dá valor.

Sei que um dia ela vai namorar, não tem como escapar, o que quer dizer que vou ter que conviver com o namorado dela, então que seja alguém legal como o Bernardo. Fiquei ali pensativa... Como assim "preciso ficar mais bonita que a Gisele"? Saí dos meus pensamentos com o grito da Ana:

– Sofia, você ouviu o que perguntei?

– Ouvi!!! Desculpa, Ana! É engraçado te ver assim, tão apaixonada!

– É, pareço uma boba, né?! Gostaria muito de te dizer que não estou apaixonada, mas para alguém tenho que contar o que realmente estou sentindo.

– Obrigada por confiar em mim, mas ele não falou mais comigo.

Minha irmã, tão verdadeira ali comigo; e eu mentindo, mas eu tinha que confiar no meu pressentimento. Isso era para o bem dela.

Preciso conversar de novo com o Bernardo, para sacar qual é a dele. Vai que ele queira ridicularizar minha irmã, sei lá. Ou fazer com que ela goste dele e depois dar um fora nela só para se vingar do passado!

Imaginem?

Toda ação gera uma reação

Acordei de repente com um grito da Ana:
— Não! Não pode ser!
Logo depois, ela começou a gritar mais forte ainda:
— Mãe, me ajuda!!!
Eu e minha mãe chegamos juntas no quarto dela, quando a vimos só de calcinha e sutiã chorando na frente do espelho.

Não conseguia entender o que estava acontecendo, até que minha mãe viu marcas vermelhas na pele da minha irmã. Eu fiquei assustada, achando que fosse uma doença grave, mas minha mãe me explicou que eram estrias.

— Estrias? – fiz uma cara de "por favor, me explica logo!".

– Quando a gente cresce rápido, ou seja, estica, muitas vezes a nossa pele não aguenta, fazendo surgir essas linhas em forma de sulcos. E isso não sai nunca mais.

Depois dessa explicação, a Ana começou a chorar mais ainda. Disse que nunca mais colocaria um biquíni.

Minha mãe contou que ela não tem essas tais de estrias no corpo, mas explicou que é muito normal quando a mulher engravida. Perguntei se isso acontecia só com as mulheres.

– Não – respondeu ela com um ar de desdém. – Só que eles, "os homens", nem dão importância para isso.

Era algo tão... tão fútil, sendo sincera, que eu não conseguia entender. Parecia que só o tema da beleza dominava aquela casa. *Que é isso, gente? Será que sou um ET ou também vou ficar assim?* Fico até envergonhada, mas era a minha realidade naquele momento, não posso mentir. Que ninguém se ofenda com o que digo, mas tem horas que é difícil ser mulher.

– Que pena, Ana. Você tem o corpo tão bonito. Mas a gente vai dar um jeito para que não surjam mais estrias.

O pior é que na noite passada eu e a Ana tínhamos combinado de colocar nosso plano em ação: dar uma atenção para nossa mãe. Para começar, acordaríamos cedo. A Ana acordou mais cedo que todas nós e foi se olhar no espelho, para azar da minha mãe, porque o plano (como falei antes) "era" acordar sem precisar que nossa mãe nos chamasse mil vezes. Queríamos conversar durante o café da manhã. O combinado era deixarmos os celulares dentro da mochila. Sabíamos o quanto isso era importante para nossa mãe.

ATENÇÃO! Ela precisa de atenção. O plano quase foi por água abaixo por causa dessas tais estrias. Eu, já irritada com essa minicrise da Ana, puxei o foco para cumprir o combinado.

Assim, no café da manhã, perguntamos como nossa mãe estava, comentamos que seu corte de cabelo estava lindo, como o dia parecia agradável etc. Também demos umas dicas de cores de esmalte que ela deveria usar. (Viram? A beleza sempre, mas era o que tínhamos para o momento.)

Sentimos o quanto ela ficou surpresa. E nós? A gente ficou um pouco culpada por não ter feito isso antes. Nossa rotina era acordar sempre na hora de sair para a escola, engolir a comida e, ao mesmo tempo, ficar direto no celular. A gente mal enxergava nossos pais. Foi bom ter conversado e tomado o café com calma, só que agora faltava o seu André... Agora éramos só mulheres naquela casa.

Mas, no final das contas, foi muito bom! Me chocou perceber como fazemos as coisas no automático. Naquele dia fui feliz para a escola. A Ana, nem tanto, mas, mesmo triste com as estrias, minha irmã conseguiu dar atenção para nossa mãe. Sobre meu pai, ele só nos dizia por mensagens que estava bem, que logo nos convidaria (eu e Ana) para um almoço.

Na hora do intervalo da escola, o Bernardo apareceu do nada. E, só para variar, eu me assustei!

– Que susto, Bernardo! Você chega com esse seu *skate* muito perto da gente. Tem que ter mais cuidado, maluco! Um dia você pode atropelar alguém e machucar, sabia?

– Sua irmã te contou que quase derrubei ela no chão?

– Contou! – falei bem seca, curta e quase grossa.

Queria sacar qual era a dele, se estava mesmo interessado na minha irmã. Meu sexto sentido dizia que sim, mas eu precisava de provas.

Então, Bernardo deu uma gaguejada. Senti que ele queria falar, mas não tinha coragem. Eu sei o que é isso, sou muito tímida; me abrir com alguém é difícil, por essa razão escrevo tanto. Por entender isso, tive coragem de perguntar para ele. Respirei fundo e falei rápido, antes de me arrepender:

– Você ainda gosta dela, né?

Eu me arrependi na hora, mas não tinha como voltar atrás. O Bernardo se trancou de vez! Ele não gaguejou, mas ficou mudo! Eu, então, precisava ser corajosa; afinal, estava representando minha irmã (mesmo que ela não soubesse disso).

– Bê, pode falar a verdade, eu juro que não conto nada para ela. Só preciso que você fale a real pra mim. Ainda gosta dela?

Ele ficou me olhando sem falar nada, até que calmamente balançou a cabeça afirmativamente. Pensei que ele estava respondendo que sim, que gostava da minha irmã, mas Bernardo apenas disse:

– Você é uma pessoa diferente mesmo, Sofia... Como falei antes, muito inteligente.

O que ele queria dizer com aquilo? E a minha resposta? Onde estava?

– Ok, obrigada pelo "diferente". Espero que isso seja bom. E também pelo "inteligente". Mas vou falar a verdade pra você: passei "no limite" em todas as matérias, quase "fui...".

Ele não achou graça e, para variar, me olhou bem sério. Falou num tom quase professoral:

– Ser uma pessoa inteligente não significa tirar as melhores notas na escola, Sofia. Significa saber lidar com as situações da vida de forma inteligente.

– Como assim?

– Meu pai sempre fala isso nas palestras que ele dá. Ele diz que conheceu muitas pessoas que, na teoria, se davam muito bem na vida, mas que, na prática, não sabiam usar o próprio conhecimento. A vida precisa de gente que resolva, que crie. Isso é inteligência, o resto é repetição, até que se aprenda, entende?

– Nossa! Que bonito isso! – disse sem sentir. Aquilo saiu porque me tocou aquilo, de verdade.

Acho que ele se empolgou com o meu elogio e continuou:

– É só se lembrar daquelas dicas que você me deu. Você me ensinou a conhecer a sua irmã de verdade. Eu achava que não poderia mudar, que estava sendo orgulhoso. Claro que a gente tem que ser verdadeiro! Mas você tinha razão: não era me "arrastando" pela sua irmã que eu iria conquistá-la. Primeiro, eu precisava gostar de mim. Você reconheceu o problema e soube resolver de uma forma inteligente. Eu pensei muito sobre tudo isso que você me falava. E você estava certa.

Ele falou muito parecido com a minha avó. Que louco isso! Dona Anita chama isso de inteligência emocional. Será que era isso que ele queria dizer? Fiquei feliz.

– Que legal ouvir tudo isso, mas você está me enrolando. E sobre a minha primeira pergunta?

Eu não podia deixar a emoção tomar conta da razão (frase da minha avó também) e tinha que fazer o garoto falar. No entanto, ele deu apenas um sorriso de canto de boca. Tipo o sorrisinho da *Mona Lisa*, sabem? Mistério... E complementou sua nova forma de viver:

– Deixa assim. Um dia vai aparecer uma menina legal que goste de mim de verdade.

Ele realmente não se ligou que ela gosta dele! Essa menina já existe. E está louca para dar um beijo nele! Credo! Ele acabou de me dar a resposta, mas agora não posso falar nada! Tenho que ajudar, sem eles saberem. Quero ver se essa tal inteligência emocional funciona mesmo, pensei.

Para mim, inteligência é igual a bondade, a ter empatia e se colocar no lugar do outro. *E agora tenho duas missões: meus pais e esses dois. Quero só ver... Como vou fazer isso?*

Sobre minha mãe, estava dando certo. Eu e minha irmã estávamos trabalhando muito bem. Essa história de conversar no café da manhã era muito divertida.

Senti que minha mãe estava mais aberta para pensar em si mesma. Ela é muito durona, não gosta de demostrar fraqueza, mas a separação a desarmou totalmente. Essa angústia toda que ela sentia, como minha avó falou, de não se sentir valorizada, estava passando. Dona Beatriz não chorava mais em todos os cantos da casa.

Minha mãe fez tudo por mim, pela família, e acabou se esquecendo dela. Esse foi seu erro. Ela tem que pensar mais nela, saber as coisas que a fazem feliz. Acho que falta para minha mãe um pouquinho dessa tal inteligência emocional de que a minha avó fala, ou talvez aceitar as rugas, como faz Dona Anita. Eu ainda não as tenho, mas já sonho com elas.

Não posso chegar direto e dizer: "Mãe, como você está melhor! Que bom te ver assim, sorrindo!".

Dona Beatriz não admite demonstrar que precisa de ajuda, mas eu já pensei em outro plano. Vou perguntar para a Ana se ela concorda. Afinal, é trabalho em equipe.

Eterna mãe

Cheguei da aula e fui direto para o computador, o que faço normalmente. Daquela vez, porém, minhas palavras não seriam para minha lembrança futura, não seriam meu relato de vida. Aquele não seria meu desabafo. Meu tempo seria dedicado à minha mãe.

Mãe,
Você sabe, mais do que ninguém, que amo escrever. Não sei se sou boa com as palavras, só sei que gosto delas! Muito melhor que falar é escrever (no meu caso). Então, que meu computador se prepare, pois vai rolar a música das teclas, porque este momento é dedicado a você! Não só este momento! Muitos momentos da minha vida serão dedicados a você, que vai precisar de

mim. E eu vou precisar de você sempre. Eternamente! Sempre vou depender de você. Espero que não financeiramente, hahahaha... Mas do carinho, do bom cafuné, dos conselhos, das lições também, dos puxões de orelha. Enfim, de tudo que uma boa mãe, como você é, pode me dar!

Não sei se você percebeu, mas não me tranco mais no quarto o tempo todo, como fazia antes. No nosso café da manhã, deixo de lado o celular, e assim podemos conversar mais.

Com a Ana também estou diferente. Tenho visto mais os pontos positivos dela do que os negativos. Sei que você sempre diz que adolescente é difícil! E você tem toda razão! Estou aproveitando ao máximo os meus dez anos e tenho um medo horrível dessa tal adolescência que dizem que está chegando. E pode ter certeza de que para Ana também não tem sido fácil. Assim como para você, mãe. Mas estamos juntas, as três mais do que nunca enfrentando nossas fases.

Hoje não é Dia das Mães, não é Natal, não é Dia do Amigo. É dia de dizer que você é importante para mim e que estou do seu lado. Obrigada por ser nossa mãe!!! Te amo!!!

Bjs,
Sofi

Imprimi e deixei no quarto dela. Fiquei na dúvida se não deveria ter escrito à mão, mas, como me acho escritora, achei que era mais "profissional" digitar e assinar. Não me recriminem por isso, mas foi o que me deu vontade de fazer. Do fundo do meu coração, espero que ela goste. Não mostrei para a Ana, porque fiquei com vergonha. Só disse que ia mandar uma mensagem para nossa mãe, falando o quanto ela é importante pra gente.

No outro dia, minha avó me ligou (acho que uma das únicas pessoas que ainda ligam para a gente é mãe e avó). A minha mãe contou para ela o que escrevi. Dona Anita disse que minha mãe se emocionou. Estava muito feliz e com a voz radiante.

– Sofia, havia muito tempo não sentia sua mãe tão feliz! Ela voltou a falar comigo por causa da sua carta. Suas palavras foram um presente! Ela queria até colocar nas redes sociais, acredita? Pedi que não, porque aquelas palavras eram só para ela! Parabéns, Sofia! Foi uma ótima ideia.

– Que bom, vó! Obrigada!!! Que alívio você ter falado para não colocar nas redes sociais, eu iria morrer de vergonha!

Às vezes, acho que a minha mãe disputa com minha avó. Como pode? Por isso, ela foi correndo mostrar para minha avó. Tipo: "Olha como ela me ama!".

Claro que amo minha mãe! Com a minha avó me sinto mais aberta, mais segura, mais amiga. Posso falar qualquer coisa pra ela. Não sei explicar. Apenas sinto! Vai ver que são as rugas, hahahaha.

A verdade é que fico muito feliz que minha mãe tenha gostado, mesmo que, até agora, ela não tenha me dito nada.

A vida está nos pequenos detalhes

Hoje acordei com café da manhã na cama! Dá para acreditar? Minha mãe ficou emocionada (ainda) com a minha carta e me fez uma surpresa!

Achei o máximo! Não esperava mesmo por isso. Foi incrível, ela fez *waffle,* e eu amei! Me disse que aquela mensagem foi muito importante para ela. Falou também sobre como é bom receber esse carinho. Dei um beijo nela e disse: "Te amo, mãe".

A vida tem dessas surpresas. A minha mãe não estava bem havia muito tempo e ninguém tentava entender o porquê. Eu mal a reconhecia, mas não fazia nada mesmo assim; por isso, cada vez mais eu me afastava dela.

Era só chegar perto que já vinham aquelas palavras negativas e pesadas. Eu, minha irmã, meu minha avó éramos sempre os culpados de tudo. Estava tudo bem para a gente, mas para ela, não, e aí começamos a conversar menos, porque todos sabiam que qualquer coisa que falássemos podia (e ia) se voltar contra a gente.

Brigar foi o jeito de chamar atenção. Tipo: "Olhem pra mim!". Uma vez a minha mãe me explicou que o corpo da gente, quando está com algum problema, sinaliza com febre. Com brigas, minha mãe sinalizava que não estava feliz. Só a minha vó para perceber.

Tudo isso era porque ela queria se sentir valorizada. A Dona Beatriz, tenho certeza, não entendia, apenas sentia. Ela só queria ser vista, amada, se sentir importante. Quem não quer? Sei que já falei muito nisso, mas é tão simples e tão complicado ao mesmo tempo. Por que tem que ser assim?

Realmente, é preciso ver de verdade as pessoas que estão ao nosso redor, principalmente as que amamos. Não é só estar presente de corpo. É estar de corpo e alma!

Tem uma teoria sobre o celular de que gosto muito: "O celular aproxima quem está longe e afasta quem está perto". Isso é verdade, e eu concordo! Amo o meu celular! Não sei viver sem ele, mas foi bom tê-lo deixado um pouco de lado no café da manhã, por exemplo. Essa necessidade de afeto da minha mãe fez com que eu me aproximasse mais dela e da minha irmã.

Falando nela...

Hoje, no jantar, estava difícil de aguentar "a maninha", mas tinha um motivo: TPM. Meu pai, "quando morava com a gente", disse que iria enlouquecer com três mulheres em casa com os nervos à flor da pele. Seu André não vai mais ter esse problema futuro. Estamos nos adaptando. Na minha cabeça, ele foi fazer uma viagem de trabalho e já volta... Espero que o nosso pai não desapareça da nossa vida.

Parece que, depois do banho de chuva e da carta que escrevi, as lágrimas da minha mãe secaram. Ela tomou algumas atitudes e chamou as mulheres da casa para uma reunião:

– Meninas, eu contratei a Dora para trabalhar comigo. Ela vai ser nossa "secretária do lar". Preciso de um tempo para mim. Quero me cuidar, fazer musculação, uma dieta. E já marquei uma consulta com um cirurgião plástico. E você vai comigo ao médico, Ana.

Nunca vi minha irmã tão feliz com uma notícia. Dava pulos de alegria e abraçava minha mãe, que continuou falando:

– Tenho alguns contatos de amigas e vou pedir ajuda para retomar a minha profissão. Sei que não vai ser fácil, mas conto com vocês.

Colocamos uma mão em cima da outra e fizemos o nosso pacto:

– Uma por todas e todas por uma.

Mais sorte que juízo

O DIA DA TAL CONSULTA COM O CIRURGIÃO PLÁSTICO havia chegado. O combinado era a minha irmã ir junto com minha mãe e eu ficar em casa com a Dora, mas não deu nada certo. A Dora precisou faltar por causa de uma doença na família. Então, não poderia ficar comigo. Minha avó também tinha os seus compromissos. Resumindo: fui junto ao consultório médico.

Nunca tinha visto minha mãe e irmã tão nervosas. Parece que elas iriam resolver todos os problemas naquela consulta. O tempo de espera foi grande, ainda bem que levei o meu livro. Quando entramos, minha mãe não aguentou de tanta ansiedade e falou:

– Doutor, eu preciso encontrar um novo relacionamento e entrar no mercado de trabalho novamente! Conto com seu profissionalismo, porque preciso remoçar uns dez anos.

O médico disse que infelizmente não poderia resolver isso tudo. Avisou que faria o possível para ela se sentir bem com o próprio corpo. Explicou que uma cirurgia plástica necessitava de muitos cuidados, repouso, que ela sentiria dor e que cada corpo reage de uma maneira, entre outras informações.

Minha mãe ficou bem decepcionada. Seu plano não estava saindo como tinha pensado. Faz tempos que ela tem boas economias, e aquele seria o momento de investir. O médico falou aqueles nomes: lipoaspiração, silicone, Botox...

Quando chegou a vez da minha irmã, o médico se recusou a fazer qualquer procedimento na Ana, pois ela não precisava. Afinal, ela só tinha quinze anos. Ele disse que sabia que existem profissionais dispostos a isso, mas que, na opinião dele, minha irmã não precisava de nenhuma "intervenção estética" – outra expressão estranha para o meu novo vocabulário.

Minha irmã começou a chorar. Parecia que seu sonho tinha desabado e que, por causa da resposta do médico, ela não namoraria o Bernardo.

Eu deveria estar com cara de pavor, porque o médico olhou para mim e disse:

– Elas vão ficar bem!

Não sei de onde tirei tanta coragem, mas por mais incrível que pareça achei aquele médico muito legal. Aproveitei que minha mãe havia saído com minha irmã para levá-la ao banheiro, lavar o rosto e tomar uma água e perguntei:

– Doutor, por que as mulheres têm tanto medo das rugas? Eu já entendi uma coisa: para elas, tirar as rugas representa ficar mais jovem e ser mais amada, conseguir um trabalho – e ainda acrescentei mais uma pergunta: – Não dá para as mulheres terem sucesso com rugas como as do senhor?

O médico, que era muito calmo, tinha certa barriguinha e as rugas bem marcadas, arregalou os olhos e paralisou.

– Doutor, falei alguma coisa assustadora?
– Não. Qual o seu nome mesmo?
– Sofia.
– Bem, Sofia, você só me deixou surpreso com as suas perguntas.

O médico me contou que, por mais que ele trabalhasse para deixar as mulheres bonitas, ele tinha um segredo:

– A verdadeira beleza é a que não é mostrada externamente. É a que a gente sente e acaba passando para os outros. Essa é a beleza verdadeira. Entende?

– Isso, sim, eu entendo bem! Minha avó sempre fala isso.

O médico me contou outras histórias:

– Há mulheres que querem mudar, esticar a pele, acabar com todas as gorduras, mas nunca nada está bom. Elas querem uma perfeição que só existe na cabeça delas. Querem voltar a ter quinze anos. E o pior! Agora até as de quinze anos, como sua irmã, querem se modificar.

– E os homens, doutor?

– Muitos homens ainda têm vergonha de fazer as intervenções estéticas. Acham que isso é só coisa de mulher – o médico viu que minha mãe e irmã estavam voltando e falou bem baixinho: – Eu gosto das rugas, Sofia. Sou muito feliz com as minhas, mas não posso falar muito sobre isso. Entende por que, não?

Ele terminou de falar isso e me deu um sorriso de cumplicidade. Imaginem? Uma garota de dez anos e aquele médico famoso pensando igual!

Ele também estava tentando buscar o que a minha avó sempre fala: equilíbrio. Pelo menos foi isso que eu entendi.

A cabeça que carrega o corpo

Minha mãe resolveu fazer análise. Lembro como se fosse hoje quando ela me perguntou se eu não gostaria de ir a um psicólogo. Acho que no fundo ela que sempre quis, mas não achava o momento.

Tenho que admitir, esse analista está fazendo milagres! Ela está bem melhor e principalmente mais calma. Está pensando mais nela, divide melhor as tarefas, não reclama mais (tanto). E não preciso mais ouvir aquele discurso: "Está tudo errado! Eu já disse mil vezes que não é assim e blá-blá-blá..." (infinitos blá-blá-blás).

Agora, ao invés de discursar, ela vai lá e ensina. A minha mãe está aprendendo a se libertar. Pai e mãe parecem ter medo de tudo. É muito louco! Por que foi preciso que nossos pais se separassem para todos terem mais liberdade?

Eu concordo com algumas coisas, mas não dá para viver com medo e sendo vigiado 24 horas por dia pelos pais. (Até dá, porque a tecnologia permite. Tem câmeras na escola, o celular marca onde você está; enfim, tudo acaba virando segurança, e precisa ser assim.) Hoje é difícil guardar segredos. Escrever e colocar tudo aqui é o meu segredo, e gosto disso. A Clara, minha melhor amiga, sabe que eu escrevo aqui, no meu computador, no meu *blog* imaginário, e que faço isso para ter um relato meu de como foi cada ano da minha vida. É mais que uma forma de desabafar, de organizar as ideias. É a minha história.

A Clara me sugeriu criar um *blog* de verdade e escrever para todo mundo ver o que escrevo "secretamente". Eu disse que não quero expor assim o que eu penso. Não gosto daquelas pessoas que ficam contando detalhadamente o que fazem no dia, coisas que só interessam a elas e àqueles que fingem estar interessados. A Clara ainda insistiu:

– Sua vida seria um sucesso! Eu teria uma amiga famosa! Você vê o lado bom das coisas e das pessoas. Tudo de forma fácil e simples. Sempre tem uma solução pra tudo. Além disso, se preocupa com a felicidade dos outros. Você iria fazer as pessoas perceberem mais a própria vida, e que pequenos gestos fazem a diferença.

Agradeci os elogios da Clara e fiquei quieta, só com os meus pensamentos. Eu iria era sentir muita vergonha, isso sim!

Não, não e não... Estou ótima assim! Eu quero muito ser uma escritora, mas escrevendo sobre a vida dos meus personagens. A minha vida às vezes não interessa nem a mim, hahaha.

Dando uma de cupido

Naquela noite, fui dormir pensando na Ana e no Bernardo. Ele é um garoto do bem! Tenho certeza de que toda a família iria adorar. Estou torcendo muito que eles se acertem. Tudo tem um momento certo na vida. Só espero que os dois saibam qual é o deles.

A Ana precisa ter coragem de assumir que o garoto que um dia ela dispensou é o cara da vida dela (pelo menos, neste momento). Ela tem que entender que não vai namorar o Bernardo só porque está magra, com o rosto de filtro de Instagram, ou após fazer uma cirurgia plástica.

Já o Bernardo precisa acreditar nele e não ter medo de tentar novamente. Eu não gostaria de estar nessa situação. Até porque não consigo me imaginar namorando ainda. Isso de se apaixonar é muito doido.

O que acho até engraçado é ver como, às vezes, a história da Ana e a da minha mãe se cruzam. Uma com quinze anos; a outra com 45. A busca pela beleza para solucionar o que não é solucionável com beleza é algo que me deixa pirada.

Estamos sempre querendo uma aprovação dos amigos, dos pais, dos professores. Prova disso são as redes sociais. As pessoas ficam imensamente felizes quando recebem muitas curtidas; quanto mais *likes*, mais felizes ficam. Elas têm que viajar, ter amigos, vestir roupas legais, fazer dancinhas! Parece que vivemos para receber *likes*. Pode ser óbvio isso, mas eu fico realmente muito triste com essas coisas.

É preciso viver porque é bom viver e, assim, compartilhar!!! Claro que todos nós queremos ser valorizados, vistos, lembrados, reconhecidos. Na real, todos queremos ser amados.

O que não dá é para fazer tudo na vida só pensando nas curtidas que vamos levar. Precisamos pensar no que a gente realmente quer e do que realmente gostamos. Repito: pode parecer ingenuidade minha todo esse discurso, mas me aproveito do fato de ter dez anos e poder dizer isso fazendo sentido.

Minha mãe Frankenstein

Dona Beatriz resolveu fazer cirurgia plástica, mas com outro médico. Fez lipoaspiração, colocou silicone e realizou alguns "procedimentos" no rosto – palavras novas que agora pertenciam ao vocabulário da minha mãe.

Foi uma verdadeira operação de guerra a primeira semana de recuperação. Ela realmente parecia uma Frankenstein. Estava toda retalhada, roxa, e quase não podia se mexer. A Dora teve um trabalhão. Na boa, minha mãe teria que fazer um pagamento extra para ela. A Dora virou uma verdadeira enfermeira, além de fazer comida e arrumar a casa.

Dona Anita, mesmo contrariada com tudo que minha mãe decidiu fazer com o próprio corpo, cuidou da filha.

No meio dessa loucura toda, o que ficou na minha cabeça foi a imagem da minha avó dando comida na boca da minha mãe.

Dona Beatriz, que gosta tanto da beleza, estava um "monstro", coitada. Eu tinha que admitir que ela estava muito feia.

– Vó, as mulheres ficam tão feias com essas plásticas que depois que melhoram se acham bonitas, né?

Minha avó não se conteve e começou a rir.

– Sofi, é assim mesmo. Não se preocupe, esses roxos vão passar, e a dor também. Sua mãe vai ter o corpo que ela quer.

– Será que vai mesmo ficar mais feliz, vó?

– Olha, Sofi... – ela fez uma pausa e então continuou: – Espero que sim, que isso a estimule a ter coragem de voltar ao mercado profissional, como ela pensa.

Novamente eu, ali, sem entender nada. Minha mãe é jornalista. Precisa ter boas ideias, estar bem informada e escrever bem. O que isso tinha a ver com ter seios grandes, barriga sem gordura e o rosto sem nenhuma ruga? Eu até desconfiava, mas não queria admitir. Às vezes viajo na minha suposta ingenuidade de dez anos, mas é difícil aceitar que o mercado de trabalho, ainda mais esse, dê valor para algo como minha mãe estava pensando. Prefiro acreditar que ela estava equivocada. Quem sabe não estava mesmo?

Tudo não acabou em pizza

Fim de semana na casa nova do nosso pai. Seu André alugou um apartamento mobiliado, o que foi muito esperto da parte dele. Não consigo imaginar meu pai escolhendo um sofá, roupas de cama, decorando uma casa sem a nossa mãe.

Ele sempre me conta sobre os anos de solteiro dele, quando dividia um apartamento com dois amigos e era ele o responsável pelas refeições. Como a minha mãe sempre reclamava da bagunça que ele fazia quando cozinhava, meu pai acabou desistindo dessa arte culinária. Agora, morando sozinho, tinha que relembrar os tempos de solteiro. Com uma diferença: eu e a Ana ficamos responsáveis por lavar a louça.

E isso tudo, milagrosamente, estava funcionando. Meu pai estava cada vez melhor no seu "cardápio para a reunião com as filhas". Além disso, sempre podíamos convidar alguma amiga, mas daquela vez estávamos nós três. Eu tentava não pensar, mas vinha à minha mente a imagem da minha mãe sentada ali conosco. O que estaria pensando? O que estaria dizendo? Era hora de me concentrar no meu pai, eu sei, mas não tinha como não passar tudo isso pela minha cabeça.

A Ana, mesmo de cara fechada, estava engraçada, reclamando de tudo. Ela sempre dava uma opinião revoltada sobre qualquer assunto que rolava na mesa. Estava com raiva do mundo.

Depois de comer uma *pizza Margherita* maravilhosa, seguimos nosso ritual e fomos lavar a louça. E foi quando a Ana lavou a alma! Todo mundo odeia lavar louça, mas pra gente virou terapia mesmo. Só disse para minha irmã ter mais cuidado, porque sua raiva era tanta, que era capaz de quebrar os pratos, no sentido literal da expressão.

Não precisei nem perguntar o que estava acontecendo. Eu conheço muito bem a minha irmã, ela precisava desabafar. Começou com um papo, tipo:

– Sofia, aproveita a tua idade! Isso de se apaixonar não é legal! Ainda mais quando não se é correspondido.

"A minha idade"! Como se tivéssemos uma diferença de quinze anos entre nós. Mas sabem que até fiquei com pena da Ana?

Eu tenho certeza de que o Bernardo é apaixonado por ela. Os dois são apaixonados um pelo outro, mas não têm coragem de assumir, por medo de levar um "não". Vai entender?

– Você está falando do Bernardo?
– Claro, né, Sofia! De quem mais seria?
– Então, se é ele o garoto, posso dar a minha opinião?

Ela só concordou com a cabeça.

– Eu acho que ele gosta de você!
– Por quê? Você sabe de alguma coisa?

E agora? O que eu poderia falar para ela? *Posso falar alguma coisa, mas não tudo, porque senão vou desrespeitar o que prometi.* O Bernardo tinha me deixado bem claro que não queria que eu influenciasse em nada, mas se ajudasse indiretamente, podia.

Tudo na vida depende de como a gente fala! As palavras são poderosas!

– Eu falei com ele um dia desses.

– Um dia desses? E você não me conta nada! Eu aqui louca para saber qualquer coisa sobre ele e a minha irmã fala com ele e não me diz nada?

Ela ficou furiosa comigo. Bom, eu sabia que isso iria acontecer no primeiro momento, mas confio nas minhas palavras! Então, me restava respirar fundo e tentar me explicar:

– Calma... Quando eu estava saindo da escola, o Bernardo passou por mim e me chamou. E, claro, eu não o reconheci. Como você tinha falado, ele está muito diferente mesmo. Ele só me deu oi! Perguntou como eu estava e me contou algumas coisas de Nova York. Tentei falar sobre você, mas ele não me deu muito assunto.

– Viu? Por isso que eu digo: ele não gosta de mim! É certo que vou levar um fora. Só por vingança! Mas eu não gostava dele havia um ano! E nem poderia! Ele era um babão. Agora é diferente, parece outro garoto. Só que agora todas estão a fim dele. Tá podendo escolher! Depois disso tudo, você diz que o Bernardo gosta de mim.

– Ele mudou, não quer ficar babando aos teus pés. Ele tá com medo de levar um fora. Você que deve se aproximar.

– Não sei, Sofia. Gostaria muito que você estivesse certa, mas acho que não.

Ela me olhou com uma carinha tão triste. Eu gostaria de ajudar, mas não podia. É horrível ver duas pessoas que se gostam não conseguirem se acertar por medo.

Ela me surpreendeu quando falou:

– Eu vou tirar o Bernardo da minha cabeça! Isso não vai dar certo. Vai ver ele nem é isso tudo que eu estou imaginando. Isso que você falou de me aproximar... eu já tentei. Parece que ele foge de mim. Tá sempre do lado da Gisele. Ela é linda mesmo, e por mais que eu tente, nunca vou chegar aos pés dela. Quer saber? Cansei de esperar. Já virei motivo de piada para minhas amigas.

Fiquei chocada! Tudo que eu estava admirando na minha irmã, por ela esperar o garoto certo, não ia rolar. Fiquei triste, arrasada! Ela vai se arrepender, e eu não posso fazer nada. Esses dois são uns cabeças-duras. Eu não posso chegar para ele e dizer: "Vai lá! Fica com ela logo, senão a fila anda!". Eu já dei todas as dicas.

Minha irmã terminou de lavar a louça e disse que ia conhecer a academia do edifício do nosso pai. Tentei dizer que ela tinha acabado de almoçar, mas, na verdade, a Ana deve ter comido meia fatia da *pizza* deliciosa que ele fez. Meu pai estava com trabalho acumulado – agora, com certeza, as despesas tinham aumentado – e não percebeu que ela não havia comido nada, porque estava no telefone com um cliente.

Não demorou nem trinta minutos e o interfone tocou. Era o porteiro avisando sobre alguma coisa. Meu pai saiu correndo e me chamou. Nós descemos, entramos na sala da academia do prédio e a Ana estava caída no chão. Sim, minha irmã havia desmaiado.

Logo a ambulância chegou, e fomos todos para o hospital. Minha mãe e avó também. Não demorou muito para meus pais começarem uma longa discussão no corredor do hospital.

– Beatriz, você está influenciando a sua filha. Para com essa loucura de ficar magra, para com essa história de perfeição. A Ana é linda do jeito que é. Com o seu corpo você faz o que quiser, mas a Ana não precisa entrar nessa sua loucura.

Minha mãe, que ainda se recuperava da cirurgia, com alguns hematomas no rosto, não deixou por menos:

– Quem é você para falar isso? Você abandonou as suas filhas! Assim como o seu pai te abandonou! Acha que encontrá-las de vez em quando e levá-las para passear já significa que é um ótimo pai? Você fugiu da sua responsabilidade!

– Eu não te reconheço mais, Beatriz. Quem é você?

Minha avó havia chegado naquele momento e ficou apavorada ao ver os dois perdendo o controle. E na presença de todo mundo, principalmente na minha frente.

Minha mãe e meu pai conseguiram se controlar pela Ana, que chegou acompanhada da enfermeira. Agora já estava bem. Eles, então, falaram com um nutricionista, que avisou que Ana estava anêmica e lhe prescreveu uma dieta.

A beijada

Fiquei tão chocada com tudo que aconteceu com a minha irmã, com essa loucura de ficar magra e sair por aí com o objetivo de beijar – e para ela não importava quem (isso era o mais louco para mim) –, que falei com a minha grande conselheira, a dona das rugas da sabedoria. Minha avó me contou a seguinte história: "A beijada".

Margarida era uma menina muito bonita. Ela era prima mais velha da minha avó, já tinha dezesseis anos e nunca tinha namorado, porque não queria. Mas todos os rapazes (a palavra que a minha avó usou para definir garotos) queriam namorá-la. Margarida ainda não queria se casar (é muito louco para a minha cabeça imaginar que alguém poderia pensar em se casar com dezesseis anos). Dona Anita me contou que era muito normal as meninas, naquela época, se casarem com quinze anos. Normal? Isso é assustador! Ou seja, enquanto a minha irmã se preocupa em dar o primeiro beijo, as meninas daquela época se preocupavam em se casar.

A minha avó vivia o mundinho dela, que não tinha internet, videogame, séries de TV, mas, sim, bonecas e livros. Ela me contou que nem pensava nessas coisas de namorar, casar, e que, como eu, sempre adorou escutar as conversas dos adultos. Ouvia os comentários de que a sua tia, mãe da Margarida, estava nervosa porque sua linda filha não gostava de ninguém. Minha avó me explicou que naquela época o padrão de beleza era ser mais gordinha.

– Sério, vó? Não acredito! Quer dizer que ficar magra é o padrão de hoje?

– Teoricamente era isso, sim, Sofia. E tem mais...

Eu entendi que vinha coisa bem pior por aí. Dona Anita continuou sua história de vida.

– Margarida era uma menina linda, com suas curvas bem acentuadas, e tinha tantos pretendentes!

(Outra palavra que aprendi.)

– Os rapazes (candidatos), na época, solicitavam o casamento com a Margarida, mas ela não queria saber de ninguém. Até que um dia alguns garotos fizeram uma aposta: beijar a Margarida de surpresa, sem o desejo e o consentimento dela. Naquela época, realizavam muitos bailes (as nossas festas de hoje), mas era só para dançar. Ninguém podia beijar.

Minha avó deixou bem claro: nenhum tipo de beijo, nem no rosto. Beijar era só quando se estava noivo. Os bailes eram feitos para dançar e se conhecer. Os meninos convidavam as meninas para dançar. Se no final da dança o rapaz dizia obrigado para a moça, isso era sinal de que dançaria com outra menina. Por outro lado, se não falasse nada, significava que gostaria de continuar dançando a noite toda com a mesma menina, o que representava sua vontade de namorá-la.

– O comentário nesses bailes, Sofia, era quem estava dançando de par. Ou seja, se formavam um par a noite inteira, era sinal de namoro. Com a Margarida era diferente, pois era ela quem dizia que não queria mais dançar. E quando aceitava dançar com alguém, era uma vitória.

Eu não conseguia entender.

– Vó, ela estava mais que certa! Ela tinha o direito de escolher com quem queria dançar! Por que só o menino podia escolher?

– Era assim, Sofia. A menina poderia negar o namoro depois, mas fazia parte das regras do baile.

Eu já estava revoltada com esses bailes e agradecendo por não ter nascido naquela época!

– Então, Sofia, um desses rapazes que fizeram a aposta de beijar a Margarida no baile conseguiu dançar com ela. No meio da dança, ele deu um beijo no rosto da Margarida. Como falei, isso era extremamente proibido. Tadinha da Margarida, ficou muito assustada! Naquele exato momento, parou de dançar e saiu correndo. No outro dia, virou o comentário da cidade. Todos só falavam sobre "a beijada". As mães das outras meninas não queriam que suas filhas "andassem" com "a beijada", e nenhum rapaz queria mais namorá-la. Todos na cidade isolaram a Margarida, e a menina era uma tristeza só.

Mais uma vez, tive que interromper a história e falei para minha avó que isso era *bullying*. Ela concordou comigo e continuou:

– Sim, Sofi, com certeza foi *bullying*. Mas claro que essa expressão não era usada na época. Foi um fato infeliz. A Margarida nunca conseguiu se recuperar, virou uma mulher triste. As pessoas não têm noção de como podem ser maldosas com alguns tipos de comentário. Margarida nunca se casou. Morreu faz pouco tempo, e sozinha. Jamais quis se aproximar de qualquer pessoa.

– Vó, a Margarida, quando menina, sofreu um preconceito imenso por pensar diferente. Hoje seria muito normal. Imagina você isolada das pessoas, não ter vínculos com ninguém. Como uma pessoa fica triste a vida toda?

– Eu sei... Você tem toda razão, Sofia, é difícil de acreditar, mas infelizmente os tempos eram outros. No fundo o maior sonho da Margarida era ter se casado, mas com alguém de quem ela gostasse de verdade.

Agradeci novamente por não ter nascido naquela época. A Margarida ficou "malfalada" na cidade por ter sido beijada, no rosto. Agora a minha irmã "precisa" beijar para não ficar "malfalada" na escola e ser magra para conquistar o Bernardo. É muita confusão para minha cabeça.

Encontros

Minha mãe, agora mais recuperada dos "procedimentos estéticos", reuniu novamente suas amigas. Senti que esse encontro era um renascimento para Dona Beatriz. Ela e a casa estavam impecáveis, tudo estava perfeito.

À medida que chegavam, as amigas se impressionavam com minha mãe.

— Como você está linda, Beatriz!

— E essa cintura? Que arraso!

— Sua boca ficou perfeita!

E, assim, Dona Beatriz ia se enchendo de alegria e esperanças.

Daquela vez, eu levei um caderno para anotar tudo e não perder nada do encontro.

Depois da separação dos meus pais, foi a primeira vez que senti minha mãe empolgada. Ela estava tão nervosa antes do encontro, porque precisava da aprovação das amigas. Na primeira prova de fogo, ela passou! As mulheres gostam desses procedimentos. Ficaram horas perguntando como foi a cirurgia, a recuperação. Cada uma contava a sua. Ou seja, a maioria já tinha feito algum tipo de "intervenção estética", como minha mãe fala.

O assunto depois foi: separação! As rugas estavam lá também. Sempre elas levando a culpa...

Minha mãe tinha eliminado muitas das "malfaladas" rugas com o tal de Botox, e se sentia vitoriosa. Não tinha mais o código de barras (como elas dizem), o que entendi serem as marquinhas que ficam em cima da boca. O "bigode chinês" também foi amenizado. Segundo elas, essa expressão deixa as mulheres com "carinha de triste". Sem falar na testa da minha mãe, que estava tão lisa que parecia brilhosa. A barriga estava uma tábua, e os seios, bem grandes. As amigas analisavam, pediam para ela levantar a blusa. Dona Beatriz estava (aparentemente) muito feliz por mostrar seu novo visual.

Bom, a minha opinião e da minha avó vocês já sabem.

Eu gostava do visual da minha mãe antes. Agora tudo parece meio forçado. Artificial! Acho que essa é a palavra. Na verdade, gosto da minha mãe do jeito que for.

Depois da euforia, veio a tristeza. Minha mãe se sentia culpada. Na sua cabeça, não estava dando atenção para mim e para minha irmã.

Uma amiga falou:

— Olha aí, Beatriz! Você se culpando novamente por achar que não dá conta de tudo. Suas filhas já estão grandes. Agora você vai ter que cuidar de você primeiro.

— Eu só quero que as minhas filhas não passem pelo que estou passando. Eu tenho que admitir, é muita pressão pra cima de nós, mulheres, com essa questão estética. A Ana desmaiou porque estava fazendo uma dieta para emagrecer.

Todas as amigas fizeram cara de preocupadas.

— A Ana é linda! Jovem! Ai, que saudade da minha juventude — disse uma delas.

– É... Mas quando tínhamos a idade da Ana, também colocávamos um monte de defeitos na gente. Eu me achava horrível! Agora vejo uma foto minha com quinze anos e me acho linda! – comentou outra amiga.

Nada estava sendo fácil para minha mãe. E, segundo ela, o pior estava por vir: voltar para o mercado de trabalho.

– Por enquanto o André continua ajudando financeiramente, mas não sei até quando. Ele tem obrigação com suas filhas, mas comigo não tem mais.

Minha mãe estava dando seus primeiros passos nessa nova jornada de "mulher separada". As amigas foram bem mais compreensíveis. Elas a escutaram mais do que nas outras vezes.

A Tatiana, também jornalista e fashionista, era uma das mais descoladas amigas da minha mãe. Adoro o jeito como ela se veste. Tatiana ficou de falar com sua chefe para tentar conseguir uma vaga na revista em que ela trabalha. Minha mãe admitiu que já havia mandado currículo para diversas vagas, mas até então não tinha recebido resposta. Por estar havia quinze anos fora do mercado de trabalho, sentia medo de voltar.

A Tati foi maravilhosa! Eu senti orgulho de a minha mãe ter uma amiga como ela.

– Beatriz, eu não tenho dúvidas sobre o seu talento. Não se preocupe. Além disso, tenho certeza de que você vai conseguir usar a sua experiência de vida para ajudar outras mulheres. Assim como esses encontros maravilhosos que você sempre fez. Você nunca deixou suas amigas de lado, não é agora que você vai ficar sozinha!

Ela deu um abraço na minha mãe. Outra amiga fez o mesmo, e minha mãe realmente recebeu muita energia boa de todas elas.

Não sei se ela vai conseguir a vaga na revista, mas ela estava feliz e com esperança. Se tem uma coisa que aprendi naquele encontro é que amizade é tudo.

Viajar é preciso

Uma luz no fim do túnel começou a aparecer na minha casa. As férias de julho estavam se aproximando, e minha avó havia me prometido a "famosa" viagem para conhecer Nova York! Eu mal podia acreditar!

Parece que já conheço essa cidade, de tanto que sonho em ir para lá! Já pesquisei todos os lugares que quero conhecer.

A Ana não fica com ciúmes, porque prefere fazer pacotes de viagem e ir com uma amiga! Assim, tudo fica bem! A minha avó paga para as duas.

Quem não ficava bem no assunto viagens eram meus pais, quando estavam casados! Todo ano minha mãe inventava uma reforma nova na casa! Quando não era a casa, era o carro. Cada ano que passava, sempre acontecia alguma coisa. No final, nunca tinham dinheiro para viajar.

Eu sei que essas reformas são importantes para minha mãe, mas juro que ficaria com os móveis da casa caindo aos pedaços se pudesse viajar! Minha avó que diz: "Estudo e viagem são as melhores heranças que podemos ter!". Como não vou ser apaixonada pela experiência das rugas?

A coisa certa

ÚLTIMA SEMANA DE AULA. MUITAS FESTINHAS PARA comemorar o primeiro semestre. Na verdade, festinha para minha irmã. Eu só fui ao cinema com minhas colegas. Minha cabeça estava concentrada em Nova York!

Passei em todas as matérias, até porque esse era o combinado. Passei "ali", no limite, muiiito na média, mas passei!

Dormir é a melhor coisa do mundo!

Ontem à noite, quase uma hora da manhã, eu já no décimo sono, e de repente acordei com minha irmã gritando desesperada!

– Sofia, acorda! Preciso falar com você! É muito importante! Preciso dividir isso que estou sentindo! A gente tá de férias. Amanhã você dorme até a hora que conseguir!!!

— O que foi, Ana? Aconteceu alguma coisa com a mãe, com a vó?

Na hora em que ela me acordou, só pensei em coisas ruins. O que poderia ser para me acordar assim tão eufórica? Pensei na minha gata, que poderia ter fugido.

— Foi a Lua? Ela fugiu de novo?

— Que Lua? Sofia, tá tudo bem com todos! Eu que preciso te contar uma coisa! Acorda logo!!! Tá me ouvindo?

Ouvindo eu estava, o problema era entender o que ela queria me dizer com tanta urgência. Depois me lembrei que ela foi a uma festa.

— Eu também preciso acordar, Sofia! Não estou acreditando que aconteceu isso comigo. Parece que eu... que estou sonhando.

— Tá, Ana!!! Estamos as duas acordadas! Pode falar!

— Não sei por onde começar!

— Seria bom pelo começo! – falei com uma grande ironia, já que ela havia me acordado e sabe que eu odeio isso.

Mas, agora, já estava curiosa. *Espero que ela tenha uma boa história para me contar*, pensei.

— Tá certo! Pelo começo: você sabe que eu estava decidida a beijar o Guilherme. Ele é um gato, joga futebol como ninguém e se atira para mim. Então, escolhi que na festa ficaria com ele.

— Não acredito!!! Você ficou com ele?

— Você sabe o quanto sou determinada e, quando coloco uma coisa na cabeça, vou até o fim!

Eu só balancei a cabeça negativamente. Agora determinação tem nome: burrice. Ela só podia estar arrependida! Quando eu ia pedir para ela me deixar dormir, porque não queria escutar mais essa história, ela continuou e não me deixou falar.

— O Guilherme me convidou para dançar. Aceitei. Esse era o meu plano. Na hora da música eu iria relaxar, fechar os olhos e pronto! Acabaria com essa história do primeiro beijo. Só que, na hora, quem me veio à cabeça?

Respondi mais que depressa:

– O Bernardo, é claro!

– Não!!! Você!!!

Foi quando acordei mesmo! Na hora do primeiro beijo da minha irmã ela pensa em mim??!!

– Eu????? Como assim?

– É verdade! Lembrei de você me dizendo que eu deveria ser eu! Que eu não poderia ficar com um garoto só para dizer para os outros. Que isso ficaria marcado na minha vida!

Uauauu... Agora, sim, essa história tá ficando boa.

– E aí? Conta mais...

– Senti nojo e dei um empurrão no Guilherme. Falei: "Desculpa, mas não vai rolar". Ele ficou furioso, agarrou no meu braço e me puxou, tentando me beijar à força! Eu só queria me livrar daquele garoto! Aí, percebi que alguém tirou o Guilherme de perto de mim dizendo: "Cai fora!". Eu não conseguia ver quem tinha feito isso. Estava muito escuro, e a música, muito alta. A sombra foi se aproximando, e vi que era o Bernardo! Ele estava ali o tempo todo!

– E aí, Ana? Conta logo!

– Meu coração disparou. Sempre li isso em livros, vi em filmes, mas jamais imaginei que fosse verdade. Realmente, meu coração batia muito forte, e o Bernardo se aproximava. Só ouvi ele dizer: "Você tem que andar com as pessoas certas!". Ele encostou a boca dele na minha, foi beijando o meu rosto, meu pescoço. Respirava profundamente, sentindo meu cheiro, minha pele. Quando percebi, nossas línguas estavam se tocando.

– Que nojo! De língua! Para, Ana! Fiquei muito feliz por você ter ficado com o Bernardo, mas não precisa me contar esses detalhes.

– Sofia, foi mágico! Eu só queria te agradecer!!! Você estava certa o tempo todo. Tudo tem a sua hora.

Ana me abraçava, me beijava, dava pulos no quarto. Eu perguntei se, na festa, ela tinha bebido alguma coisa. Ela me disse que estava bêbada de amor! A adrenalina era tanta que minha irmã falou que nossos pais estavam certos de não serem mais casados, porque ela passou a entender o que é amor.

Naquela noite ela não conseguiria dormir. Queria continuar conversando, e eu seria a ouvinte. A minha sorte é que o Bernardo começou a mandar muitas mensagens, e ela foi para o quarto dela falar com ele.

Que noite! Mas fui dormir feliz. Minha irmã fez a escolha certa! Já nossos pais... ainda tenho dúvidas. Realmente as mulheres desta casa (e só tem mulheres agora) são agitadas.

O chamado

E como felicidade chama felicidade, ela não bateu na nossa porta, mas tocou o telefone da minha mãe. Era sua amiga Tati dando a notícia de que Dona Beatriz havia conseguido a vaga na revista. Nossa mãe faria parte da equipe que estava pesquisando sobre a nova mulher acima dos trinta anos.

A revista precisava de uma jornalista com o perfil da minha mãe para comandar o estudo. Dona Beatriz agora teria que conversar diretamente com mulheres de diferentes pensamentos. Mulheres com desejos e ambições distintos. A Tati disse que esse emprego iria ajudar minha mãe a voltar para o mercado de trabalho e também a se reencontrar como mulher.

Minha mãe estava eufórica! Depois da tempestade... as coisas estavam se ajeitando, e muito bem. Minha irmã, muito esperta, aproveitou o momento e revelou que estava namorando. Minha mãe adorou! Pediu para Ana contar como tudo tinha acontecido. Disse que minha irmã tinha a sua aprovação, mas a Ana teria que falar para o nosso pai também.

Vivendo de amor

Paixonite aguda! É isso que minha irmã está vivendo. Chega a enjoar! Como as pessoas viram umas bobas quando estão apaixonadas, né? Fico só pensando... será que meus pais foram apaixonados assim um dia?

Tudo é lindo e maravilhoso para a Ana! Tudo virou cor-de-rosa. Ainda bem que as provas do fim do semestre já acabaram, porque senão ela já teria rodado. A criatura não pensa em outra coisa a não ser no Bernardo.

Último dia de aula, nosso pai foi nos buscar para almoçar.

Eu já esperava a Ana dentro do carro com meu pai. E, de repente, veio a Ana bem alegrinha de mãos dadas com o Bernardo. Gostaria de fotografar a cara do Seu André. Não bastando as mãos dadas, minha apaixonada irmã deu um selinho no Bê e entrou no carro.

Não sei nem descrever a cara do meu pai. O rosto estava vermelho, e alguma coisa aconteceu com o seu coração, porque ele colocou a mão no peito. Achei que ele ia ter um treco ali no carro.

– Eu posso saber o que é isso, Ana?

– Não é isso, pai! É o Bernardo, o meu namorado.

– E quem te autorizou a namorar?

A Ana primeiro fez uma cara de "como assim?". Tipo: precisa de autorização para namorar? Mas, como ela já tinha falado para nossa mãe, respondeu:

– A mãe.

Meu pai só balançou a cabeça negativamente. Ele não nos levou para o restaurante. Pegou o telefone e ligou para a nossa mãe.

– Beatriz, está em casa? Preciso falar com você agora.

Minha mãe abriu a porta para o meu pai – muito estranho isso, por sinal. Agora, claro, ele precisava da autorização da minha mãe para entrar. Antes ele tinha a chave. Depois de uns três meses, era a primeira vez que ele entrava novamente na sua antiga casa.

Nossa mãe já foi dizendo que não tinha muito tempo, que estava no meio de um trabalho e não gostaria de parar.

– Como assim trabalho? – perguntou meu pai.

Dona Beatriz encheu a boca para falar:

– Estou trabalhando para uma revista de moda!

– Que bom! Vai ser bom pra você. Parabéns, mas a gente precisa prestar atenção nas nossas filhas.

– Desculpa, André, mas você que precisa! Elas são prioridades na minha vida. Não estou entendendo aonde você quer chegar.

– A Ana está namorando. Com quinze anos... Como que você autoriza uma coisa dessas e sem falar comigo?

Minha mãe deu uma gargalhada bem irônica.

– Como não percebi que era isso? Em que mundo você vive, André?

A conversa virou um jogo de frases curtas e diretas. Eu já me imaginei numa partida de pingue-pongue, com o pescoço pra lá e pra cá. Agora era a vez do meu pai:

– Mas ela só tem quinze anos!!!

– Quase dezesseis – contestou minha irmã. Ela estava mais veloz que nosso pai e continuou: – O Bernardo é meu namorado! Antes a gente só estava ficando, mas nós decidimos que vamos namorar. Eu gostaria que ele viesse almoçar aqui em casa no fim de semana. A Sofia gosta muito dele e pode garantir pra vocês que é um cara muito legal.

Ops, entrei no jogo! A bola quicou pra mim! Na verdade, sou aquela que vai buscar a bolinha! Não deu tempo nem de explicar, e meu pai veio para cima de mim.

– Como assim, Sofia? Você já conhece esse rapaz?

"Rapaz." Eu disse para minha irmã que não seria fácil, e ela não acreditou, mas a sorte estava do nosso lado. Minha mãe entrou no jogo!

– Que coisa mais fofa, minha filhinha de namorado!!!

Nossa mãe, falando daquele jeito infantiloide, era tudo de que o cenário do momento precisava. Foi logo dando um beijo na minha irmã e complementou:

– Claro, Ana, pode trazer o namorado para comer uma *pizza* que seu pai vai fazer. Eu já estou louca para conhecer o Bê. E se a Sofia já aprovou, tenho certeza de que vou gostar dele – e, olhando bem firme para o nosso pai, finalizou: – Seu pai também vai gostar!

– Eu vou fazer a *pizza*? Aqui?

– Sim, André, você está autorizado a almoçar com a gente no domingo e conhecer o namorado da sua filha.

Não acreditei! Nós íamos ter um almoço em família novamente. Meus pais na mesma mesa? Isso era incrível. Minha mãe, "a poderosa"! As mulheres realmente não sabem o poder que têm.

A Ana abraçou a nossa mãe e começou a dar aqueles pulinhos dela, gritando:

– Te amo, mãe!!! Muito obrigada. Tenho certeza de que vocês vão amar o Bernardo!!!

Ana disse isso e saiu, me deixando ali com os nossos pais. Vocês podem imaginar o clima?

Meu pai estava inconformado. Só dizia:

– É muito cedo para essa menina namorar, não tá certo!

Minha mãe estava feliz! Eu não podia acreditar que ela iria encarar isso tão bem. E começou seu discurso para o meu pai:

– André, você precisa aceitar, nossa filhinha é uma moça. Namorar é saudável! Temos que ficar felizes por ela ter compartilhado isso com a gente. Ela poderia simplesmente ficar namorando escondido. É muito melhor a gente acompanhar de perto esse namoro – minha mãe falou com o meu pai sem gritos!

Havia quanto tempo eu não ouvia minha mãe falar assim tão serena?

De repente escutei meu pai me chamando:

– Sofia!!! O que você acha disso tudo?

Até eu tinha esquecido que estava ali. O que eu achava? Disse para ele que o Bernardo é um garoto muito legal, diferente de todos os meninos, e que eles poderiam ficar tranquilos.

Meu pai ficou mais chocado ainda!

– Agora todas as mulheres desta casa estão combinadas para me atacar? Por que não tive um filho que pudesse me defender?

– Ainda pode ter, né, André? Porque você é homem... É só casar com uma mulher mais jovem que você pode ter um filho homem que te defenda contra as "mulheres desta casa".

Não acreditei. Havia durado pouco a parte serena da minha mãe. Meu pai nem deu atenção para o que ela falou e voltou ao assunto da minha irmã:

– Se essa menina aparecer grávida, a responsabilidade é sua, Beatriz!

Fiquei chocada!!! Ele falou tudo isso, virou as costas e saiu. E o nosso almoço? Como assim? Ficar grávida? Minha irmã acabou de dar o primeiro beijo. Meu pai já pensava em gravidez? E minha mãe? Pensando que seu "ex" teria outro filho? No caso, um novo irmão pra gente???

Minha mãe percebeu o quanto eu fiquei apavorada e disse:

– Calma, Sofia, não fica com essa cara. Seu pai só está nervoso e com ciúmes porque a filhinha dele cresceu. Depois eu quero contar uma história sobre o pai de vocês.

– Ah, não, mãe! Fala agora! Você sabe que eu adoro uma história, ainda mais sobre o pai, que é "o pai dos mistérios".

A história de Seu André

Como já falei, meu pai é "trancado por dentro". É muito difícil desvendar o que ele pensa, pouco fala, tá sempre na dele.

Depois da conversa e declaração do namoro da minha irmã, minha mãe convocou as mulheres da casa para uma reunião. Com muita dificuldade e sem encontrar as palavras certas, começou a falar:

— Filhas... antes de vocês nascerem... eu e seu pai tínhamos uma vida... a nossa história.

— Claro, né, mãe!? – disse a Ana, já sem paciência para tantas pausas.

— Não é tão claro, não, Ana, principalmente para você, que acha que o mundo só começou depois que você nasceu.

Toma! Bem feito! Que vontade de aplaudir a minha mãe, a Ana mereceu. Dona Beatriz continuou, e agora muito segura de si:

– Vocês sabem o que aconteceu com os pais do seu pai?

Sempre soube tão pouco da família do meu pai, então já fui disparando o pouco que sabia:

– Sei que a mãe dele morreu quando ele tinha vinte anos. Foi só isso que ele contou.

– É isso mesmo, Sofia. Nós estávamos começando nosso namoro. Eu participei de todo esse momento de sofrimento na vida dele. Dona Antônia, a avó de vocês, morreu de câncer.

– Que triste, mãe, como aconteceu? Sei que câncer é uma doença grave, mas muitas vezes tem cura, né? – a Ana perguntou, tentando ser humana, para amenizar a furada que havia dado.

– Hoje, sim, mas imaginem há 25 anos!? Foi muito complicado para o pai de vocês. A mãe dele era a única família que ele tinha. A Dona Antônia engravidou dele muito cedo, mais ou menos com a sua idade, Ana. O namorado dela caiu fora, não quis assumir o filho, e os pais dela também não ajudaram muito. Então, assim que o André nasceu, ela logo saiu de casa e foi trabalhar.

Para tudo! Precisei perguntar:

– Como assim, mãe? Com um bebê recém-nascido e com quinze anos?

– Ela tinha uma tia já velhinha que trabalhava numa casa de família. Essa tia pediu a essa família que levasse a sobrinha (que tinha um bebê) para trabalhar.

Seria um "acordo". A Dona Antônia iria ganhar estada, alimentação e escola para o André. Em troca, trabalharia para essa família junto com a tia.

A Ana estava paralisada. Não tinha como não imaginar ela nessa idade fazendo todos os serviços de casa e ainda cuidando de um bebê. E a gente só sabia que a nossa avó tinha morrido cedo. Não consegui ficar quieta:

– Mas isso é escravidão!!!

– Não era, filha – respondeu minha mãe.

– Imagina, Ana, com a sua idade? Tendo que enfrentar tudo isso? Estudar ficou moleza – continuei.

A Ana não falou nada, mas eu sabia que pensava exatamente isso.

– É isso, minhas filhas – Dona Beatriz continuou. – Seu pai soube usar todas as oportunidades que a vida ofereceu. Essa família acabou ajudando muito ele, e são amigos até hoje. Não era escravidão, Sofi.

A Ana acordou daquele transe de se colocar no lugar da nossa avó paterna e perguntou:

– E o nosso avô?

– Seu pai nunca quis procurar, sempre fez de conta que ele nunca existiu... O André sempre fala: "Se esse homem não teve coragem de assumir um filho, nunca quis me conhecer, então não sou eu a procurá-lo".

Nunca tinha passado pela minha cabeça de perguntar sobre o meu outro avô. Tenho um avô neste mundo que eu não conheço. Isso é muito estranho para mim. Eu precisava saber sobre esse homem.

– Mãe, não existe um jeito de a gente descobrir onde ele está?

– Não, Sofia, o seu pai não quer, e ele tem esse direito. Nós somos a família... – minha mãe se corrigiu rapidamente: – *Vocês* são a família dele agora. Só contei tudo isso para explicar o porquê de o André ficar tão preocupado com a Ana. O pai de vocês fica com medo de que possa acontecer a mesma coisa que aconteceu com a mãe dele.

A Ana levou um susto. Acho que só agora ela entendeu a moral da história!

Minha mãe levantou, foi até o armário e pegou uma foto da nossa avó com meu pai pequenininho.

Achei tão bonita. Tinha realmente um olhar forte! Não poderia ser diferente. Minha avó paterna também teve que ser forte para criar o seu filho. Fiquei orgulhosa de ter na minha família mulheres tão guerreiras.

Meus pais, mesmo separados, têm uma história linda de mais de vinte anos casados. Isso não se apaga. Fiquei orgulhosa de a minha mãe ter chamado meu pai para almoçar.

O que mais quero é ver eles amigos novamente. Se não for pedir muito: sem brigas!

Como é difícil crescer. E eu reclamando de ser criança. Pelo menos eu me considero criança, apesar de tecnicamente me chamarem de pré-adolescente!

Ser adolescente é muito pior! Imagina ser "adolescente" com um filho. Falando sério: não quero crescer!

Eu não sei por que estou metida nisso tudo! Eu deveria estar pesquisando sobre Nova York. Minha viagem é na semana que vem! Foi muita informação para minha cabeça, vou aprender com essa história e agradecer a minha vida. Tá tudo bem como está. Ainda tenho um pai que não nos abandonou. Espero que ele não cometa o mesmo erro que o pai dele.

NY, I love you

Como é bom sair de férias! Fiquei pesquisando lugares para visitar em Nova York, escutando música e vendo séries. A vida poderia ser assim sempre. Depois das histórias da vida da minha avó paterna, valorizei mais a minha.

Como prometido, a Ana trouxe o Bernardo para conhecer nossa família. Como esperado, nossa mãe ficou encantada com a educação do garoto, achou ele lindo, chegou a ficar chata de tantos paparicos. Como esperado, nosso pai ficou de cara fechada. Tipo: encarando o pobre Bernardo o tempo todo. A *pizza* que Seu André fez estava deliciosa.

Milagrosamente tudo deu certo. Claro que rolaram algumas briguinhas entre os nossos pais, mas a felicidade de ver eles juntos "mesmo separados" – não sei se vocês entendem... – superava tudo.

A felicidade da Ana por estar com o Bernardo, a de nossa mãe pelo emprego, a minha pela viagem havia contagiado todo mundo. "Gente feliz não incomoda" – frase de quem? Sim, da minha avó hahaha...

Estava orgulhosa da Ana também. Como ela havia conseguido ser tão natural?! Não posso me imaginar apresentando um namorado para a família.

O bom é que eu não preciso pensar nisso agora! Meus pensamentos já estão em Nova York. Que sorte a minha que o Bernardo entrou na nossa vida. Ele me deu muitas dicas para a viagem.

A minha irmã não iria viajar para lugar algum, porque ficou de recuperação em Matemática. Nunca vi alguém ficar feliz com uma recuperação na escola. Ela tinha todos os motivos: o Bernardo é bom em exatas e estudaria com ela.

Estou muito feliz, feliz mesmo!!! Estou aqui escrevendo e analisando o meu primeiro semestre do ano. Tanta coisa aconteceu, "são tantas emoções", como diz aquele cantor que a minha avó ama. Meus pais estão separados, mas pelo menos se encontraram.

Nesse último almoço, aqui em casa, todo mundo estava feliz (com exceção do meu pai), mas isso só na chegada do Bernardo. No fundo, ele viu que o garoto é gente boa e, o principal, que a filhinha dele está feliz.

Eu perdi as contas de quantas vezes escrevi a palavra *feliz* em um único parágrafo! Que bom que não estou escrevendo uma redação em sala de aula, porque, se fosse minha professora, já iria descontar alguns pontos; afinal, não podemos repetir muitas vezes uma palavra, no meu caso: FELIZ!

Essa ideia da minha sábia vó foi incrível: escrever sobre a minha vida me fez compreender muitas coisas. Fica mais fácil de analisar, de me entender e entender os outros. Vou fazer isso a vida toda.

Meus avós também estavam no almoço e, é claro, adoraram o Bernardo. Ele me disse que eu tinha toda a razão de viver falando sobre a minha avó, porque ela é realmente encantadora. Enfim, família feliz! Outra vez o "feliz"! Eu posso! Aqui posso escrever tudo, é o meu universo de palavras. Isso aqui é meu!!! Meu espaço!!! Meu mundo!!! Sou eu! Verdadeiramente eu! Sem precisar fingir! Ficar calada! Isso pertence a mim! Não preciso provar nada pra ninguém. A felicidade é minha, neste momento pelo menos! Por isso, posso escrever "feliz" quantas vezes eu quiser! Feliz, feliz, feliz, feliz, feliz, feliz...

American way of life

Quando a minha avó perguntou qual cidade eu gostaria de conhecer para comemorar os meus onze anos, não pensei duas vezes: Nova York!

Os norte-americanos são bons em se vender. A gente acaba vivendo a cultura deles, e tudo isso acontece muito por causa dos filmes. O Natal, por exemplo. Demorou para eu perceber o porquê de o Papai Noel se vestir com aquela roupa toda fechada. É gorro na cabeça, botas e luvas. Sem falar na decoração com neve. Quando que aqui neva? Ok, ele vem do Polo Norte, que é muito frio. Bom, mas aqui não, né? Isso realmente não fazia sentido. Quando eu tinha cinco anos e descobri que o Papai Noel era meu avô, perguntei para a minha mãe:

— Aqui está muito quente, por que o vovô não coloca uma bermuda?

Eu me lembro da cara da minha mãe tentando criar uma fantasia na minha cabeça:

– É mesmo! Ele é parecido com o seu avô! – e continuou com o seguinte papo: – Papai Noel é do Polo Norte. A viagem é feita de trenó, com suas renas, então, como ele vem muito rápido pelo céu, com muita velocidade, fica com frio.

Realmente, a minha mãe foi muito criativa. Sempre me dá vontade de rir quando lembro disso tudo. Não fiquei nada contente com a resposta da minha mãe (tadinha). Dona Beatriz queria que eu continuasse acreditando, mas não deu certo. Então fui perguntar para a minha avó, que não teve saída. Sabia que se não contasse a verdade eu ficaria brava. Por que estavam mentindo para mim? Foi aí que entrou a cultura americana.

Ela me contou que nessa época do ano é o contrário do Brasil. Nos Estados Unidos neva e faz muito frio em dezembro. Muitos países adotaram a mesma forma deles de comemorar o Natal. Claro que não havia entendido muito bem, mas hoje, indo para lá, me lembrei dessa história da minha vida.

É isso, eu vivo no Brasil, mas sei muita coisa de lá. Gosto das músicas, dos filmes, dos livros, e agora vou conhecer tudo isso. Mas, como diz minha avó: "Lembre-se de que você é brasileira!".

Vivendo em um filme

Nós em Nova York. Que sonho! Anoto tudo, coisas que aprendo, descrições do que vejo. Não quero esquecer um momento.

A viagem de avião foi ótima, passou muito rápido. Só consegui ver um filme e apaguei. Acabei dormindo o tempo todo. Meus avós que reclamaram muito do espaço entre os bancos, do atendimento das "aeromoças" (como minha avó ainda chama as comissárias de bordo). Como já falei, meu avô foi piloto, e minha avó, aeromoça, então eles dizem que tudo era melhor na época deles. Eu não gosto desse papo de na "minha época". Só digo:

– Vó e vô, a época de vocês é agora!!!

Eles sabem que eu estou certa! Minha avó respondeu:

– Muito bem, Sofi! Pensar no hoje, viver o agora, por isso amamos estar ao teu lado! Você nos deixa sempre jovens!!!

Eles realmente são jovens! Quando viajamos, nos tornamos, os três, umas crianças. Tudo é divertido, tudo se transforma em aprendizado!

Caindo na real

De volta, primeira semana de aulas. Todos contando como foi o tempo de descanso, a tradicional redação sobre férias, rever os colegas e os professores. Tudo tranquilo. Esse é o momento do ano de que mais gosto, por causa das férias e do meu aniversário.

Como eu viajei este ano, meus pais disseram que não ia ter festa, meu presente já foi a viagem, mas sairíamos para fazer algum passeio na cidade, e eu poderia escolher. Eu realmente estou em dúvida, amo a cidade em que moro. São Paulo é extremamente cultural. Vou pesquisar, falta pouco para o meu níver.

Foi muito difícil, para mim, escolher um lugar para comemorar o dia do meu aniversário. Eu decidi por um musical! Escolhi *A Bela e a Fera*! Só quem gostou da ideia foi minha avó, e, o melhor, ainda me deixou levar uma amiga.

A Ana disse que já tinha passado dessa fase, ou seja, agora ela é uma adulta, não vai mais nessas coisas de criança – e, além disso, tem namorado. Sendo assim, negou nosso convite. Meus pais também não se empolgaram muito. Fomos eu, minha avó e minha melhor amiga, Clara.

O espetáculo foi incrível! A Bela é realmente bela, porque viu na Fera uma pessoa linda. Na minha opinião, era assim que as pessoas deveriam se enxergar: "por dentro".

Eu estava muito feliz com o meu aniversário, com a viagem que fiz, com os meus amigos. Quando a gente está no meio de um problema, parece que ele nunca vai ter fim, mas nos sentimos fortalecidos quando ele é resolvido. Isso que aconteceu com os meus pais me ajudou a entender muita coisa, principalmente a ver as pessoas que estão perto da gente.

Ver mesmo, no sentido de perceber o que de fato está acontecendo. Observar é entender. Eu consegui ver e compreender a minha mãe e, assim, pude ajudar.

Tô eu aqui filosofando de novo, mas não é sobre isso que quero escrever. Se eu já estava feliz, fiquei mais ainda! As melhores coisas da nossa vida acontecem quando a gente não espera. Talvez isso aconteça porque a gente não cria nenhuma expectativa, e de repente acontece.

Sem medo de ser feliz

NÃO SEI COMO COMEÇAR A ESCREVER, PORQUE QUERO detalhar esses momentos para reler muitas vezes. Sabem aqueles momentos em que a gente fica triste e precisa se lembrar de coisas boas para ficar bem? Pois bem, desse momento sempre vou lembrar, porque sempre vai me fazer feliz!

Depois do musical, minha avó nos deixou em casa. A Clara iria dormir na minha casa. Eu achei estranho que as luzes de casa estavam apagadas. *Deve ter faltado luz, porque nos fins de semana ninguém dorme cedo*, pensei. Minha avó comentou que a minha mãe devia ter esquecido de pagar a conta. Quando entramos em casa, levei o maior susto! Estavam todos os meus amigos e a minha família reunidos!

Uma festa-surpresa! Comecei a chorar feito uma criança! (Sim, eu sou uma criança.)

Não tinha como ser diferente. Uma festa-surpresa é uma explosão de amor! Onze anos! Um marco na minha vida! Como eu sempre digo: felicidade gera felicidade... E minha felicidade não parou por aí!

Minha avó me entregou dez livros. Pensei que se tratava de uma nova série, ou que eram livros que ela lia quando pequena, mas não. Eram os meus livros. Os livros da minha vida, contados por ela, até os meus dez anos! Cada livro com um ano da minha vida.

Minha avó colocou fotos e escreveu cada momento importante da minha vida. Meus primeiros passos, minha primeira palavra, as coisas ingênuas e engraçadas que a gente fala quando aprende a falar. Nossas viagens, tudo exatamente como aconteceu.

Tenho um registro da minha vida! Foi por isso que ela me aconselhou a escrever. Agora, eu que continuo esse meu registro – o que estou adorando fazer.

Quantas surpresas boas! Só posso concluir, depois disso tudo, que o melhor presente é o amor!

Isso ninguém me tira. Isso me fortalece! Se sentir amado é a melhor coisa do mundo! Fica pra sempre!!!!

Não é justo

Não, não, não, não, não, não, não, não, não, não, não, não, não, não, não, não, não, não, não, não, não, não, não, não, não, não, não, não, não, não, não, não, não, não, não, não, não, não, não, não, não, não...

Infinitos... NÃOS! Isso não pode ter acontecido comigo!!! Não agora!!! Não pode ser verdade!!! Dói muito!!! Dói lá no fundo!!! Nada mais faz sentido!!!! Nada, nada, nada!!!!

A vida dá uma rasteira na gente

Meu primeiro impulso foi deletar tudo que havia escrito aqui. Todos os meus momentos bons e as minhas superações.

A minha vida estava tão incrível! Por que foi acontecer isso comigo? Parecia que eu estava sonhando, mas não era um sonho bom, era um pesadelo do qual eu não conseguia acordar. Só me perguntava: "Por que isso aconteceu comigo?".

Há três meses que pareço um zumbi. Todos tentam me consolar. Nada resolve. Meu mundo realmente acabou. Há três meses que não escrevo. Faço tudo no automático e choro todos os dias.

A menina com inteligência emocional, que sabia resolver os problemas, que entendia as pessoas, SUMIUUUUUU!!!!

Vou tentar contar aqui e reviver cada momento que passei ao longo desses três meses. Por mais que me doa, fazem parte da minha vida.

Enquanto isso, vou para o espelho e desenho rugas no meu rosto, com a imaginação de voltar a ficar perto dela...

Renascer das cinzas

Quando minha vida começava a ficar normal de novo. Meus pais separados, mas amigos. A Ana feliz com o namoro. Eu com a viagem... Tudo estava "normal" na minha família. Até que recebemos uma ligação do meu avô, dizendo que minha avó estava no hospital, porque tinha sido atropelada.

Eu entrei em pânico. Saímos correndo para o hospital. Quando chegamos lá, minha avó estava muito mal, cheia de aparelhos ligados a ela. Falava muito baixinho, sem energia.

– Eu te amo – disse ela para minha mãe. – Me perdoa se não fui a mãe que você sonhou.

Dona Beatriz estava muito emocionada e não conseguia falar.

– Mãe, não fala assim. Você vai ficar bem. Mãe, não me deixa, por favor!!!

Minha avó não tinha mais forças. Conseguiu com muita dificuldade dizer para a Ana:

– Você é linda, minha neta.

E para mim:

– Cuida da sua mãe.

Logo após isso, os aparelhos começaram a apitar mais forte. Os enfermeiros entraram e pediram para a gente sair. Eu não tirei os olhos da minha avó ao deixar o quarto e vi que ela fechou os olhos. Naquele momento, os aparelhos emitiram outro som. Um som contínuo... Não era mais o bipe registrando as batidas do coração.

O coração da minha avó havia parado. A minha avó tinha morrido.

Ela não existe mais!!! Eu não posso ligar para ela, pedir conselhos, dizer que eu a amo!!!! Pedir a sua ajuda!!! Ela não está mais aqui!!!

É muito difícil escrever isso, é muito difícil sentir isso!!!

Eram sete horas da manhã. Todos os dias da semana, minha avó caminhava pelo bairro por uma hora. Naquele dia, um homem saiu bêbado de uma festa e dormiu na direção. Ao perder o controle, acertou a minha avó, que estava na calçada. Ela ficou presa entre o carro e o muro de uma casa. Foi tudo muito rápido, e ela realmente não teve como escapar.

Que raiva!!!! Que raiva que sinto desse homem. Ele tem dezoito anos e havia acabado de tirar a carteira de motorista. Todos os perdões que ele pedir não vão adiantar. Eu jamais vou aceitar!!! Uma pessoa completamente irresponsável!!! Só ficou vivo porque usava cinto de segurança e o carro tinha um bom *airbag*. Vai ficar preso por um tempo (se ficar), vai pagar uma grana (que, pelo que soubemos, não é problema pra ele) e vai sair. E minha avó? Quem vai trazer de volta? E os momentos que a gente ia viver? Quem vai me ver adulta? Quem vai discutir comigo em outro nível quando eu tiver mais experiência? Tudo eu pensava que seria com ela. E agora? Nada disso existe mais.

Eu sei que a coisa mais certa na vida é a morte, mas minha avó não morreu naturalmente. Ela foi arrancada da gente!!!

Se eu estou um zumbi, não sei definir a minha mãe, que está fazendo um tratamento muito forte para a depressão. Minha irmã disse que ela está tomando remédios para conseguir seguir em frente. Como sou uma criança, não posso tomar nada. Nenhum remédio do mundo tiraria a minha dor. O meu remédio foi o tempo, chorar todos os dias e esperar passar.

O que me fez voltar? Os livros! Mas não os livros que eu estava acostumada a ler.

Eu estava trancada no meu quarto quando escutei a voz do meu avô. Ele tinha uma mala. Na hora pensei que fosse viajar. Isso era óbvio para mim. Uma homenagem à mulher da sua vida. Afinal, era isso que eles mais gostavam de fazer. Com certeza, se ele me convidasse para essa viagem, eu não aceitaria. Não estava preparada. Mas...

Eu estava enganada. Ele abriu aquela mala como se fosse uma caixa mágica, um baú dos segredos. Ali dentro existiam 65 livros, escritos por ninguém mais, ninguém menos, que ela: minha avó Anita. Cada livro representava um ano de sua vida. Minha avó começou a escrever na mesma idade que eu (dez anos), por isso me deu essa ideia de escrever tudo o que eu sentia.

– Por que ela nunca me contou, vô?

– Porque ela me fez prometer que, se acontecesse alguma coisa com ela, a única pessoa que ficaria com os livros seria você, Sofia!

Como não voltar depois disso? Era um sinal de vida para mim.

Cada página que leio e releio dos livros da minha avó são como pílulas de esperança. É o que me dá ânimo para continuar indo para a escola, caminhar, comer, brincar com minha gata, ficar com a minha família e amigos.

Eu não sei explicar, mas a minha mãe parece que morreu junto. Eu acho que ela se arrependeu de muitas coisas. Sabem aquelas coisas que a gente quer falar, mas fica com vergonha, e deixa para o dia de amanhã? Minha mãe nunca conseguiu perdoar a minha avó de muitas coisas. No fundo, ela gostaria de ser parecida com a minha avó.

Ao invés de falar isso, de dizer que tinha orgulho dela, brigava! Brigava na verdade com o seu "eu interno", que não conseguia dominar. Agora fica com isso trancado. Se tem uma coisa que tenho certeza é de que vivi intensamente todos os dias da minha vida com a minha avó. Talvez por isso eu tenha me recuperado mais rápido. Eu e meu avô, que foi o líder da situação. Seu Antônio resolveu tudo, desde o hospital até a cremação – essas coisas burocráticas e muito tristes.

Outra coisa que foi muito difícil para mim e de que não gosto nem de lembrar foi da cerimônia de cremação. Algo, aliás, que minha avó sempre pediu: "Quero ser cremada, Deus me livre ser enterrada. E, por favor, não fiquem de choradeira. Quero uma música bonita e alegre, quero que contem piadas no meu funeral".

Só minha avó para falar essas coisas. Tentei me lembrar disso o tempo todo. Foi muito difícil, porque eu até imaginava o funeral dela sendo uma festa, mas só daqui a uns trinta anos no mínimo. Ela estaria bem velhinha, mal caminharia, e numa bela noite o seu coração pararia de bater. Não desse jeito, após um acidente. (Como diz minha irmã, não foi um acidente. Todo mundo sabe que não dá para beber e dirigir.)

Apesar disso tudo, eu precisava me lembrar do desejo da minha avó. Então, me senti quase que guiada por ela quando levantei e tive coragem de ir falar no púlpito. Logo eu, que morria de medo, de vergonha, tinha pânico de falar em público.

Minha família levou um susto quando me viu caminhando em direção ao púlpito. Não tive o menor medo. Estava confiante! Eu queria muito fazer aquilo. Quando a gente passa por uma dor dessas, tudo fica muito pequeno. Até o medo de falar em público. Olhar nos olhos daquelas pessoas que, de alguma forma, foram importantes na vida da minha avó era um dever. Eu era (sou) a maior fã dela.

Sequei as minhas lágrimas e falei mais ou menos assim:

– Boa tarde! Meu nome é Sofia, tenho onze anos, e Dona Anita era minha avó. Peço para vocês que parem de chorar e deem um sorriso. Parece estranho, mas é só pensar nela e lembrar de algumas de suas palavras. Minha avó sempre tinha uma palavra amiga, sempre olhava para o lado bom das pessoas. Gostaria que vocês pensassem em coisas boas neste momento. Como foi bom ter convivido com ela. Eu amava as ruguinhas dessa senhora [olhei em direção ao caixão] e gostaria de ter visto mais ruguinhas aparecerem no seu rosto. Isso seria um sinal de que estaríamos todos vivos. Sei que as minhas vão chegar e, assim, vou me sentir mais próxima dela. Sou uma privilegiada de ter conhecido a Dona Anita!

Peguei o lápis que estava dentro do meu bolso e comecei a desenhar as rugas da minha avó no meu rosto. Na frente de todos. Como um grito de protesto: deixem suas rugas aparecerem!! Fazem parte de vocês! Escutem a voz da sabedoria!

Foi assim... falei do fundo do meu coração. Eu tinha que fazer isso pela minha avó. Sei que era assim que ela gostaria que fosse. Hoje penso que fiz por ela e por mim, porque foi o jeito que achei de continuar minha vida.

Aquele momento foi um marco. Um ponto zero para recomeçar.

Depois do velório, quando chegamos em casa, minha mãe pegou no meu rosto e passou o dedo suavemente nas linhas que eu tinha desenhado. Olhou no fundo dos meus olhos e falou:

– Eu nunca mais vou pedir para você parar de desenhar as rugas da sua avó. Vou deixar as minhas rugas e juro, Sofi, farei o maior esforço para ter a compreensão de admirá-las, assim como você.

O começo da volta

AINDA BEM QUE TENHO MEUS AMIGOS. NESSE PERÍODO todo de luto, não sei o que seria de mim sem eles. A Clara fazia as minhas lições de casa. Eu tentava estudar, mas não conseguia. O João tentava me alegrar (imagino o quanto ele sofreu também), porque eu não conseguia sorrir. A Cami me passou cola nas provas... Sim, os professores viram, mas na situação em que eu estava eles deixaram passar. O que eu não sabia era quando essa dor ia passar.

Hoje me sinto perto da minha avó através dos seus livros de vida. Ela me deixou o tesouro da experiência de sua vida.

Quando meu vô me entregou os livros da minha avó, meu impulso foi olhar o ano em que eu nasci. O que ela escreveu sobre o meu nascimento? Foi o meu primeiro sorriso, misturado com choro, mas tudo bem. Existia um sorriso.

– Nasceu... Nasceu a Sofia! – saiu minha avó gritando pelo corredor do hospital.

Ela estava de mãos dadas com minha irmã, que tinha cinco anos. A Ana tentava imitar o que ela dizia, sem saber direito o que significava ter uma irmã.

Dona Anita também escreveu uma lista de desejos para mim: em primeiro lugar, que eu sempre tivesse saúde. Em segundo lugar, que tivesse sabedoria. Em terceiro: sorte!

No livro, ela desejou que eu tivesse sorte na vida, coisa que ela, infelizmente, não teve na hora em que morreu...

Não existe coisa mais torturante na vida do que você ficar pensando que, por detalhes, por segundos, poderia evitar um acidente.

Se eu tivesse pedido para dormir na casa dela, naquele momento ela estaria fazendo o café da manhã para mim. Ou por que não encontrou um vizinho, um conhecido, e começou a conversar? Ou por que não foi por outra rua? Por que minha avó? Será que isso estava no destino dela? Será que isso existe? Não sei, só sei que sinto muito a falta dela. Uma das frases dos livros da minha avó diz: "A dor nos fortalece".

Não sinto nada disso. Para mim, a dor só me deixa fraca.

No início da dor todos te consolam. Até as patis, na escola, vieram falar comigo, mas agora ninguém me aguenta mais. Meus amigos só faltam fazer uma campanha "volta, Sofia"!

Eu estou aqui, mas parece que não estou.

Ler, ler e ler

A ÚNICA COISA QUE ME MOTIVAVA ERA LER OS LIVROS da minha avó. Histórias que ela já tinha me contado das quais eu não lembrava mais; outras histórias que eu não sabia; momentos da sua infância; as brincadeiras.

Os meus primeiros anos também estão registrados com todos os detalhes: minhas primeiras palavras – aquelas coisas que criança fala que são muito engraçadas.

Tipo: minha avó me pediu para chamar o elevador, e eu fui lá e gritei bem alto: "Elevador!!!". Com essas histórias simples e ingênuas, fui me lembrando de quem eu era.

Tem mais uma que me fez morrer de rir quando li: minha avó estava brincando comigo de dinossauro (eu tinha uma coleção deles). Ela fez um som de dinossauro furioso, e eu me assustei e falei para "ele":

"Calma, nós somos amiguinhos!". Acho que me assustei com a voz furiosa de mentirinha da minha avó.

Comecei a sorrir de novo! Tudo estava naqueles livros. Por exemplo: quando Dona Anita conheceu meu avô, os primeiros encontros, o que estava acontecendo na história do Brasil e do mundo. Suas impressões de cada país para os quais viajou.

Até os momentos de culpa da minha avó quando saía para trabalhar e deixava minha mãe com uma babá estavam lá. Isso ela não falava para ninguém. Tantas confissões, tantos medos que foram superados. É muita história.

A volta

MINHA MÃE, AOS POUCOS, TAMBÉM FOI VOLTANDO. Perguntei se ela gostaria de ler os livros. Dona Beatriz me disse que ainda não se sentia com coragem.

Assim, minha mãe começou uma revolução interna, não mais externa, se dedicando completamente ao trabalho. Entrevistou muitas mulheres na faixa dos trinta anos, impressionada com a personalidade de cada uma.

Minha mãe é quinze anos mais velha que a maioria delas. As mulheres de trinta estavam passando por uma transformação, uma nova visão de vida. Por exemplo, minha mãe, que acabou de colocar silicone nos seios, percebeu que essas mulheres estavam tirando as próteses de silicone, admirando e respeitando seu corpo como é. Por causa delas, minha mãe começou a se questionar sobre por que precisava ter um seio grande. Admitiu que achava ruim até para dormir. Que dava dor nas costas.

Enfim, Dona Beatriz voltou ao médico, o cirurgião plástico (o da primeira consulta, já que ela acabou fazendo com outro). A surpresa geral é que ela pediu a ele que removesse a sua prótese de silicone.

Minha mãe estava se redescobrindo com esse novo trabalho. Sempre chegava em casa com uma história diferente para contar:

– Essas mulheres que estou entrevistando se aceitam como são. Não se curvam para os padrões estéticos. Elas têm muito estilo e personalidade. Cuidam do corpo, sim, mas também da mente. Ainda se sentem muito pressionadas a ter filhos, se manter bonitas e ter uma carreira profissional brilhante, mas sinto um desejo enorme de mudança, de independência e de escolhas. Não precisamos fazer tudo, só o que nos deixa felizes.

Eu estava adorando essa minha mãe reflexiva que escutava as mulheres. E continuou:

– Tem uma mulher que está escrevendo numa plataforma digital. Sua página cresce a cada dia. Na revista todas são fãs dela. Tenho que admitir que ela tem me ajudado muito. A Tatiana me passou a missão de entrevistá-la.

– Quem é essa mulher, mãe? – perguntei ansiosa.

– Pois então, minha filha, ninguém sabe nada sobre ela. Acreditamos que use um pseudônimo.

– O quê?

– Isso era muito comum antigamente com as escritoras femininas, que, por serem mulheres, não eram ouvidas e usavam nomes de homens para poder vender seus livros.

– Por que será que ela não quer revelar o nome?

– Não sei, minha filha. É exatamente isso que eu quero saber.

Nós estávamos voltando à vida. A ausência da minha avó estava fazendo com que eu e minha mãe nos aproximássemos mais. As conversas com ela estavam ficando parecidas com as que eu tinha com Dona Anita. Eu já começava a me sentir feliz de novo. E o mais importante: sem culpa de me sentir feliz.

O amor é a única coisa que realmente fica. A tristeza um dia vai embora. O amor da minha vó vai ficar sempre em mim, mas eu, apesar de ter os relatos de vida dela, sentia a falta de conversar com Dona Anita.

Um dia comecei a conversar mentalmente com a minha avó. Eu perguntava, e a sua voz vinha na minha cabeça com uma resposta. Sim, parece loucura. Não contei para ninguém, senão iam me chamar de doida, é claro! A única coisa que sei é que isso me deixou bem.

Minha mãe me contava sobre cada texto que a autora anônima escrevia. Eu ficava cada dia mais feliz, porque isso realmente estava fazendo bem para ela. Dona Beatriz estava radiante, mais bonita, mais alegre e natural. Inclusive deixou os seus poucos fios de cabelo branco aparecerem e já não usava tanta maquiagem para esconder suas rugas.

Um dia meu pai apareceu lá em casa. Sim, ele agora tinha entrada liberada na nossa casa. Eu estava achando até demais. Tipo: se separaram, mas querem estar juntos? Eu sinceramente estava achando o máximo. Muito evoluído da parte deles.

Um dia vi os dois conversando na cozinha. Como vocês sabem, sou *expert* em ouvir conversa de adulto. Meu pai passou a mão no cabelo da minha mãe e disse:

– Como você está bonita, Beatriz.

Naquele momento, os olhos dos dois brilharam. Eu sempre acreditei que a beleza vinha de dentro, como minha avó dizia. A luz dos olhos deles vinha de dentro pra fora.

– Você está como a Beatriz que eu conheci – ele continuou. – Alegre, segura, leve, encantadora.

– Com algumas rugas e cabelos brancos – comentou minha mãe.

– Que te deixam mais linda...

Dá para acreditar que meu pai foi chegando bem pertinho da minha mãe e deu um beijo nela? Na boca!

Dona Beatriz gostou. A cara dela dizia tudo. Ela estava apaixonada pelo meu pai, ou seu ex-marido, ou marido novamente?

É muito louco, porque a minha mãe não fala sobre os cabelos brancos do meu pai, ou das suas rugas, muito menos da sua barriguinha! Só sei que eles estavam felizes, e o mais lindo: envelhecendo juntos.

Minha mãe estava cada dia melhor no seu trabalho na revista. Estava sendo reconhecida. Trabalhava até tarde da noite. Um dia ela entrou no meu quarto e me viu dormindo. Pegou o meu computador, que estava na minha cama, para colocar na escrivaninha e, acidentalmente, leu o texto que estava na tela. Minha mãe achou muito familiar. Tinha muito a ver com o que lia da "misteriosa mulher anônima". Então ela, sem cerimônia nenhuma (afinal, era meu computador), começou a ler os meus arquivos. E lia mais e mais. Sua expressão (sim, posso falar porque, quando acordei, eu a vi transfigurada) se transformava. Ela olhou para mim de boca aberta e disparou:

– É você, minha filha???

Minha mãe estava emocionada e me abraçou com todo o amor e carinho.

– Por que não me contou??

Eu expliquei para ela que escrever era um jeito de falar com a vó e de contar um pouco da experiência que ela viveu. Tudo que ela escreveu, suas análises de vida, não poderiam ficar só comigo.

Na verdade, eu estava continuando a história dela. Escrevi apenas sobre o que aprendi com ela. A diferença é que minha mãe estava sabendo ouvir agora.

Após alguns abraços e surpresas ressaltadas pela minha mãe, ela disse:

– Você não tem noção do bem que tem feito para tantas mulheres. Não só pra mim. Pra muita gente, Sofia. Você consegue pensar nisso?

Claro que eu não sabia. Até porque tinha medo de uma responsabilidade dessas. Disse claramente que não. Minha mãe chorou.

No outro dia, Dona Beatriz ligou para sua amiga Tatiana contando sobre a inesperada descoberta. Ela fez uma narrativa perfeita que valorizou ainda mais o fato. Eu já estava acreditando que tinha escrito algo importante mesmo. Como minha mãe iria imaginar que era eu quem escrevia os textos com os quais as mulheres tanto se identificavam?

Eu já estava feliz porque sentia que minha mãe estava melhorando. Se ela não descobrisse, eu nunca teria contado.

Para a minha surpresa, a Tatiana queria fazer uma entrevista comigo.

Tudo foi muito rápido. A amiga da minha mãe queria reformular a revista, exatamente com esses novos conceitos de vida que eu escrevi na plataforma digital. Eu, tentando de alguma forma falar com minha avó, acabei falando com muitas mulheres. Era fácil, pensava eu. Era a sabedoria da Dona Anita que se tornava pública.

A Tatiana me convidou para uma sessão de fotos. Nunca vou me esquecer desse dia.

Minha mãe se olhou no espelho, mas agora não era mais um olhar de tristeza ou querendo esconder e esticar suas rugas. Seu olhar estava confiante. Tinha pouca maquiagem e não sentia vergonha de mostrar seus fios brancos e as poucas ruguinhas que apareciam.

A Ana entrou no quarto e achou a minha mãe linda também. A minha irmã queria uma ajuda para terminar de se arrumar.

Nossa mãe ensinou para ela um jeito natural de se maquiar, assim como minha avó fazia. E eu ali admirando as mulheres que tanto amo. Até que enfim a fase de comparações com a tal Gisele havia acabado.

Minha mãe me deixou escolher a roupa com a qual eu mais me sentia bonita. Eu escolhi o macacão *jeans* igual ao da minha avó. Coloquei um colar bem colorido que era da Dona Anita e saímos as três juntas para a sessão de fotos.

Tenho que admitir que me diverti muito nesse dia, porque representava minha avó. Eu estava dando voz aos seus pensamentos e à sua experiência de vida. Essa era uma forma de continuar sua jornada.

A jornada

CHEGOU O DIA DO EVENTO DE LANÇAMENTO DA NOVA FASE da revista. Vejo meu rosto estampado na capa com o título:
"O que a novíssima geração de mulheres pode nos ensinar sobre amor-próprio e autoaceitação e o que podemos fazer para criar e educar meninas para que elas não sejam reféns da beleza e juventude eterna"

Com certeza, se minha avó visse aquela capa de revista, ficaria orgulhosa.

Estava eu me deliciando com os salgadinhos e docinhos da festa, quando Tatiana subiu no palco do evento. A amiga da minha mãe começou a falar sobre as novas diretrizes editoriais da revista, e passei a ser o assunto.

— A Sofia nos fez refletir muito sobre o que vivemos nos dias de hoje. A gente não nasce com preconceitos. Eles, à medida que vamos crescendo, são colocados na nossa mente. Vivemos num mundo obcecado por um rosto sem rugas. Por quê? Nada melhor do que olhar a vida através do olhar puro de uma menina. Sofia, gostaria que você viesse até o palco falar com a gente!

Eu? Bom... não preciso dizer como fiquei nervosa, mas ver minha mãe sorrindo para mim me deu forças para subir no palco.

– Oi... boa tarde! Na verdade, como vocês podem perceber, gosto muito de escrever, mas falar em público para mim é muito difícil. Mas a vida é assim, enfrentando os medos é que a gente cresce, como dizia a minha sábia avó das ruguinhas mais lindas que já vi. Tudo que escrevi eu aprendi com ela. Dona Anita, como a gente chamava às vezes, me ensinou o que realmente importa na vida. Olhar para dentro da gente. A verdadeira beleza vem de dentro para fora. Parece frase comum, mas é um sentimento muito difícil de se aceitar de verdade. Minha avó me explicou tudo sobre o que passou na sua infância, e o que vejo é que temos muito mais liberdade hoje. Precisamos aproveitá-la e não nos prender ao que os outros querem nos impor. Não nos cobrar tanto e aproveitar as experiências. Falando em experiências, nada faria sentido se não tivesse a minha mãe ao meu lado. Quero que ela venha até aqui comigo.

Minha mãe ficou surpresa. Não esperava que eu a chamasse no palco. Ela se emocionou muito. Éramos nós duas ali representando minha avó.

– Eu sou a prova de quanto temos para aprender com nossas filhas. Me sinto muito mais feliz hoje. Nós, mulheres, nos cobramos muito, queremos ser tudo! Lindas, boas profissionais, esposas, supermães... E podemos! Descobri que não precisamos fazer tudo! "Só" o que nos faz feliz!

Fomos aplaudidas por todos os tipos de mulher: jovens, mais velhas, magras, gordas, baixas, altas, com cabelo curto, cabelo longo, cabelo pintado, cabelo branco, com maquiagem, sem maquiagem. Únicas! Somos únicas! Somos muito mais poderosas que imaginamos.

Olhei para trás e vi um telão enorme com a foto da minha avó. A Tatiana nos fez essa surpresa linda! Chamei minha irmã para ficar com a gente. Éramos gerações diferentes aprendendo. Como minha avó falou: "Espero que sua geração seja diferente, Sofia". Falei mentalmente para minha avó:

— *Eu também, vó! Obrigada por sua luta, por essa maior liberdade que temos hoje. Vamos saber usá-la.*

Chegamos em nossa casa felizes. Sentadas no nosso sofá, eu fazia cafuné na minha mãe, e minha irmã massageava os pés dela.

Minha mãe se reinventou. E o mais importante: estava feliz! Olhou pra mim e disse:

— Você é uma verdadeira discípula da sua avó! Não guarda isso só pra você, é o que peço. Em nome das rugas da minha mãe, que você tanto admirava.

A Ana também olhou para mim e comentou:

— E em nome das minhas futuras... ruguinhas, que espero demorem uma eternidade para chegar.

Começamos a rir. Elas não tinham mais medo das ruguinhas.

Sabem quando alguma coisa muda dentro da gente? Eu já vinha de uma sequência de mudanças e emoções que nunca havia imaginado, mas aquele toque da minha mãe foi como um botão: fez um *clic* e ligou. E pensei: *Por que não? Por que não?* Não se trata de falar da minha vida babaca, tipo "fui ao supermercado", mas de falar de uma história que pode gerar em alguém uma vontade de fazer algo melhor.

Assim, entrei no meu quarto, sentei em frente ao computador e lancei, naquele momento, sem medo nenhum, o meu *blog* (agora para todos). Tinha que ter um nome. Não seria Sofia, seria uma chamada, ou algo assim. Por que não uma homenagem para minha avó, uma frase que ela dizia? "Sofia, a menina que queria ter rugas." E assim surgiu o *blog* da "Menina que queria ter rugas", porque queria ter vida, queria aprender e chegar longe. Com um rosto que reflete no espelho a sabedoria dos dias, não dos ensinamentos forçados. As rugas da experiência. Quem não quer ter?

Não preciso mais desenhar rugas no meu rosto. Vou esperá-las. Na vida tudo tem seu tempo, inclusive as rugas. O resto é vivência.

Livros para mudar o mundo. O seu mundo.

Para conhecer os nossos próximos lançamentos
e títulos disponíveis, acesse:

🌐 www.**citadel**.com.br

f /**citadeleditora**

📷 @**citadeleditora**

🐦 @**citadeleditora**

▶ Citadel – Grupo Editorial

Para mais informações ou dúvidas sobre a obra,
entre em contato conosco por e-mail:

✉ contato@**citadel**.com.br